聞きまくり社会学

「現象学的社会学」って何？

新泉社

装幀　岡　花見

はじめに

本書では、現象学的社会学という「ワケのわからない学問」を、なるべくわかりやすくお話ししようとつとめました。社会学の始まりから現象学の基礎、現象学的社会学の未来まで、駆け足ですが、ひととおりの説明をしています。

今、グローバル化が進み、大きく開かれた世界のなかで、わたしたちはかえって見通しをなくして不安にかられたり、未来を見失って絶望したりしています。もしも、現象学的社会学の「ものの見方」を身につけることが、この不透明感を薄めることになるのなら、そして、ほんの少しでも、未来へ向けて歩んでいく「希望」を持つ助けとなるのなら、これに過ぎる喜びはありません。

この本は、岡敦が質問して西原和久が答えたインタビュー記録を元に作りました。主として内容面を西原が、形式面を岡が受け持って作業を進めました。

制作にあたっては、装幀の岡花見さんをはじめ、多くの方々のご協力をいただいております。ひとりひとりのお名前をあげることはできませんが、心から感謝申し上げます。

本書はist booksの第1号として出版されます。

ist（イスト）とは、「NPO法人東京社会学インスティチュート」の略称です。社会学の知見を専門分野に閉じ込めておくのではなく、専門家以外の人と共有できたらいいな、それもグローバルにできたらうれしいなと考えて作った組織です。社会学者もそうでない人も参加して、セミナーやシンポジウムを開いたり、アジアでネットワークを作ったり、『コロキウム』という名の研究誌を発行したりと、活発に活動しています。

そして、このたび、新泉社の竹内将彦編集長のご理解とご協力のもと、ist booksシリーズを刊行することになりました。ist booksでは、環境、犯罪、日本語、身体など、さまざまな話題を取り上げ、問題提起したり、議論したりしていきます。ist booksへの意見や批判はもちろん、新しい企画の提案や参加もお待ちしております。

二〇〇六年九月七日

著者記

目次

Ⅰ　社会学の話を聞く

1　社会学とは何か

社会学とは

――現象学的社会学とは何か、これからお話ししていただきます。でもその前に、そもそも社会学って何なのでしょう。法学なら法律を考察する学問、経済学なら経済の仕組みや活動を研究する学問だとわかります。しかし、「社会学とは、社会を研究する学問だ」と言われても、あまりに漠然としていてイメージできません。社会学って、いったい何を研究する学問なのか教えてください。

うん、「社会学は対象がはっきりしない」とよく言われますね。そのとおりです。いや、社会学は曖昧でいいかげんな学問だと言っているのではありませんよ。社会学の研究対象は社会です。ところが、社会は、グローバル化の進展や外国人労働者の増加など考えればわかるように、時々刻々と変化しているんです。研究対象そのものがつねに変化するわけですね。くわえて、日本社会、イギリス社会、中国社会など、世界にはいろいろな社会が存在する。社会学の場合、「(研究対象の)社会とは、どういうものなのか」と問うことは、最初からの関心で、また研究の目的のひとつでもあるんです。

そもそも社会とは

――社会学の根本には、「社会って何だろう」という問いかけがあるんですね。人間は、いつごろからそのようなことを考え始めたのでしょう。

古代ギリシャの哲学者や古代中国の儒家たちは別として、社会というものが一般の人びとの目に見えてきたのは、十七、十八世紀の西ヨーロッパです。それまでは国家も社会も区別されることなくひとまとめにして語られていたのですが、そのころから、国家は社会と違うひとつの機関であると考えられるようになりました。社会は人びとの約束、契約によって成立したという「社会契約説」が出てきたのもそのころですね。国家とは異なる「社会」、つまり「経済的営みの領域」を中心に「市民社会」が意識されるようになってきました。

日本では、「社会」という言葉は、明治の初期に「society」という言葉の訳語として使われるようになりました。それまでは「社会」という言葉は日本語にはなくて、一般的には「世間」という言葉が使われていたんですよ。「そんなことをすると世間に笑われますよ」

「世間に出ていく」「世の中」「浮世」、そういう言い方が一般的だったんですね。

――日本語には「society」にあたる言葉がなかった。ということは、現実においても、明治までの日本には、「世間」はあっても、「社会」と呼ばれるべきものはなかったと考えていいのですか。

そうです。概念としての社会の成立は、「近代的個人」の成立とも関係しますし、「近代国民国家」の成立とも関係します。つまり、個人の存在や権利や所有などが重視され、さきほど述べたような契約などによって、そうした「個人」によって社会が作り上げられると考えられるようになり、そしてその個人や社会を守るべき国家や権力などが自覚される。そうして初めて「社会」と「国家」がいっしょに成立したと言えるわけです。

――なるほど。社会と国家を説明するとき、よく二等辺三角形を描いて、底辺を社会、頂点を国家のように説明したりしますね。

ええ。でも、国家と社会の分離というのは、複雑な面を持っています。そういう単純なイメージでは済まないところもある。例えば、ＥＵは、ある意味で近代国民国家を超えようとする試みですよね。この場合、三角形の図を描こうとするなら、ひとつの底辺の上にひとつの頂点を持った三角形を描くのではなく、複数の三角形を包み込む上位の三角形を描くことになります。三角形どうしが底辺近くで重なり合うような「二重国籍帰属」を含めて、国家と社会の関係はひとつの「二等辺三角形の図」で考えるべきではなく、もう少し歴史的、多面的に見る必要があると思います。三角形全体を国家と見たり、社会のなかに国家があると見たりもしますしね。

――国家も社会も、人びとの集まりを指していることには変わりない。ただ、その捉え方として、国家モードと社会モードがある、というふうに考えていいでしょうか。人びとの集まりを前にして、ある見方をすると「国家として見える」、ある見方をすると「社会として見える」というふうに。

そういう言い方はできると思いますが、社会学を学ぶ際には、もう少し具体的に理解したほうがいいでしょうね。

十七、十八世紀に社会が見えてきたと言いましたが、そのときの世の中の状況を考えてみましょう。王と貴族層、それにからまる聖職者の層、そして、どちらでもない産業者――と当時は言われていました。新しく登場した、経済活動をしている人たちの層です。産業ブルジョワジーとも言います。そうした産業者たちが自己主張を始めた。つまり、市民が登場し、市民社会が成立した。まず、そういう具体的な捉え方をしましょう。そして、国家についても、近代国民国家の成立を具体的に捉えて、両者の成立を重ねて見ていく必要があるでしょう。ほんとうは、さらに印刷メディアの発達や「国語」の成立といった側面も「国民」国家の生成には重要な点ですが、ここでは深入りしないでおきましょう。

ここで強調しておきたいのは、社会は「人びとの相互行為の集積」である、という点です。例えばグローバル化が進む今、人びとの相互行為が国家を超えて広がっています。ですから、その集積である「社会」の概念も、当然、変わっていきます。国家の枠を超えた「東アジア社会」などという認識もあっていいはずです。

コントに始まる

――「社会」概念が成立して、人びとが社会に関心を持ち始める。そして、学問としての社会学が誕生した。では、社会学は、いつ誰によって作られたのでしょうか。

社会学（仏語で sociologie、英語では sociology）という名称は、十九世紀のなかば、正確には一八三九年にオーギュスト・コント*というフランス人が作りました。「ソキウス」というラテン語に「ロゴス」というギリシャ語をくっつけた新しい言葉です。コントは、その新しい学問を実証哲学と考えていました。

――社会学は哲学だったのですか。コントの言う「実証哲学」の「実証」とは何でしょう。

＊Auguste Comte（1798-1857）：邦訳の著書として、『社会再組織の科学的基礎』『実証的精神論』（ともに岩波文庫）などがある。

「実証」とは、英語で言えばポジティブ。ネガティブの反対ですね。ポジティブという言葉には、実際に証拠をあげて科学的に証明するという意味のほかに、「積極的な」「肯定的な」「建設的な」といった意味もあります。だから、コントのポジティビズム、実証主義には、「社会をどうしたらいいのかという問題に答えるぞ」という彼の積極的な姿勢が見えるわけです。社会学という名称には、社会変革あるいはコントの言葉を使えば「社会の再組織化」のための学問という意味合いがあったんですね。

では、コントはなぜ、そんなことを考えたのか。コントが社会学を始めたのは、産業ブルジョワジーが登場して、それ以前の古い社会の仕組みが失われ、新しい仕組みに変わりつつあるときです。世の中は混乱しています。そこでコントは、当時の流行である自然科学的な思考を用いて、混乱している社会の仕組みをもう一度組織化し直し、新秩序を作ろうと考えたのです。

——社会を変革し、新秩序を打ち立てる実践的な学問として社会学は始まった。うーん、コントって、まさにポジティブというか、なかなか過激な学者ですね。

余談ですが、コントの本名は、とても長いんですよ。イジドール・オーギュスト・マリー・フランソワ・グザビエ・コント。最後のコントは家系の名前だとして、それ以外に、マリアさんの名前に三人の聖人の名前までもらっている。フランソワ・グザビエっていうのは、日本に最初にキリスト教を伝えた宣教師フランシスコ・ザビエルのことです。

つまり、進化論が登場するころとはいえ、当時のヨーロッパは、基本的にはキリスト教の世界であり、神が作った秩序があったということなんです。それに対して、人間がポジティブに社会を再組織化していくぞっていう発想をしたのですから、確かにコントはずいぶん革命的でしたね。

ちなみに、コントとマルクス*は、ほぼ同時代人です。改革といっても、コントのように産業者（資本家）の立場で上からおこなうのか、マルクスのように労働者の立場に立って下からおこなうのかという違いはあります。しかし、その時代にあっては、コントもマルクスもかなり画期的な発想をしていたことは確かですね。

ポジティブ哲学

――社会学とは、ポジティブ哲学である。その意味は、社会を積極的に変えていく学問である。なるほど、「ポジティブ」を単に「実証的」と理解しては、社会学を矮小化してしまいそうです。

そうですね。ただ、社会学が進展するにつれて、「実証的＝建設的＝社会変革的」といっ

＊Karl Marx（1818-1883）：著書として『経済学・哲学草稿』『ドイツ・イデオロギー』『共産党宣言』『資本論』（いずれも岩波文庫などの文庫本で読める）などがある。

た積極的な意味合いは薄れていくんです。そして、社会学は自然科学と同じように「客観的な」学問なんだと考える流れが主流になっていく。つまり、「ポジティブ＝実証科学的」と一義的に理解するのが、今では普通になってしまったんですね。

——社会学＝ポジティブ哲学は、基本的には「ポジティブ→実証的」と訳されていて、社会学は実証的な学問だということになってきた。けれども、西原社会学としては、むしろ、人びとがポジティブに生きるための哲学として社会学を構想し直したい、そう思っているみたいですね。ダジャレのようですが。

いや、西原社会学と言うのはやめてください。ぼくだけが考えているわけではないんですし。ただ、ダジャレではなくて、ぼくの社会学観は、確かにそれに近い。

社会学の特徴

——社会学って何だろうと質問することから始めたのですが、「社会学とはこうである」と簡単に言い切ることはできないことがわかりました。でも、そこを何とか、社会学を簡単に説明してください。

では、社会学を他の学問と区別する四つのポイントの話をしましょう。

社会学には、次の四つの特徴があります。

（1）まず、「関係性」に注目すること。

社会は人間が集まってできています。ですから、社会を研究するということは、人間を研究すること。人間研究といえば、医学だって倫理学だって人間研究ですね。しかし社会学は、人間個人だけに焦点を当てるのではなく、むしろ「人間と人間の関係」という関係性に焦点を当てる学問です。「集団」とか「組織」と言い換えてもいいけれども、ここでは「関係性」と言っておきましょう。社会学は人間の心理も扱うことがあります。でも、その場合も心理学とは異なって、個人の心理そのものを考察するのではなく、他者との関係性のなかでの心理を問題にするのですね。

（2）二つ目が、「日常性」に注目すること。

関係性と言っただけでは、経済的な関係や政治的な関係、法的な関係といろいろあって、まだ何を研究するのかはっきりしません。社会学は、そういうさまざまな関係の基本にある、日常的な社会生活の場面に焦点を当てるのです。社会学の教科書を開いてみてください。社会学は、よく家族とか地域社会を扱います。家族にしても地域社会にしても、経済学や法学の側面から語ることができますが、しかし、経済や法とは関わりのないさまざまな人的交流があり、人間関係がある。それを知るためには、日常的な場面を見なければいけませんね。この、社会生活の「日常性」に関心を持つ、というのが社会学の二つ目の特徴です。

（3）三つ目が、「現代性」。

あたりまえですが、日常生活は古代エジプトにも平安時代にもありました。しかし、社会学が研究の焦点とするのは、現代の社会です。その点、歴史学とは異なります。「歴史社会学」という、過去の時代の日常生活を社会学的に検討する学問もありますが、それも、歴史学のように過去の社会そのものを研究するのではありません。時代比較をして、あくまでも現代に焦点があるのです。

（4）最後に、「事実性」。

これも、とても大切です。社会学は理念だけの哲学ではなく、また評論とも違います。現代の日常生活を考えるといっても、エッセイのような形で感想を述べるのではなくて、客観的なデータや事実に基づいて実証的に検討していかなければ学問になりません。

社会の変化に対応して

――社会学の特徴の三つ目は「現代性」でした。すると、さきほども少し話題にしましたが、時代とともに社会学そのものも変化していくのですか。

そう考えています。大学で社会学説史の授業を持っているときに言うのですが、どの時代も、それぞれの時代を生きている人びとにとっては「現代」なわけです。それぞれの時代に、それぞれの現代を考えている。そういう作業が今日まで続いて社会学説史となっているんですね。社会の変化とともに社会学自体も変わると聞くと、なんて曖昧な学問なんだと思う人がいるかもしれません。でも、その「曖昧さ」は逆にいえば強みです。伝統がないぶん、可能性がある。自由な発想もできる。社会学は、インターネットの普及、グローバル化といった変化にも敏感に対応するヴィヴィッドでフレキシブルな学問なのです。

研究の方法

――ダイナミックな社会の変化に対応するダイナミックな学問ですね。では、その社会学の研究方法は、どのようなものでしょうか。社会学者によってまちまちなのですか。それとも、統一されているのですか。

社会学が研究対象にアプローチする方法はいろいろですが、いくつかの対立軸をあげて、分類して説明しましょう。

(イ) まず、社会を見るときに、ミクロな視点をとるかマクロな視点をとるかという違いがあります。「社会は個人が集まってできているのだから、社会を構成するミクロな個人から考え始める」のか、それとも「社会は単なる個々人の集合とは異なった性質を持つものだから、マクロな社会全体から考え始める」のか。そういう視点の違いがありますね。

(ロ) それから、実証的立場か理論的立場かという違いもあります。

さきほど、社会学は実証的でなければいけない、事実性を大切にしなければいけないと言いました。しかし、それは単純に、出来事のデータを集めたり、それを数字で示したりすればいいという意味ではありません。出来事の量的・質的な単なるデータの提示ではなく、それに論理的、理論的に考察を加え、その意味を考える必要があります。

ぼくたちは、ふだん、簡単に「事実」と言っていますが、そもそも事実とは何なのでしょう。事実とはある観点（理論枠組み）から捉えられた出来事の一面です。ある一定の視角から人間が捉えて、初めて、それは「事実」となる。つまり、社会学者が考察する「事実」とは、社会学の方法や概念が作り出した「社会学的事実」なのです。事実とは、目の前にゴロンところがっているもの、誰の目にも明らかな「本当のこと」などではなく、つねに理論によって捉えられるものである、そう言ってもいいでしょう。

こうしたことを踏まえた上で、データを重視する立場なのか、理論を重視する立場なのか、という違いが生じてきます。

——視点については「ミクロ／マクロ」、重きを置くものについては「実証的データ／理論的意味」、そういう違いがある。

それぞれを組み合わせれば、自己と他者の二人関係といったミクロな領域を理論的に考えたり、それを実証的に捉えたり、マクロな理論で歴史の変動を議論してみたり、さらに移民や国際移動を数で示すなどマクロな領域を実証的に論じてみたり、と複数のアプローチを考えることができます。

まあ、理想的には、すべてのアプローチをとればいいのでしょう。しかし、ひとりの社会学者が理論も実証も、ミクロもマクロもというのは難しいので、実際には社会学者たちみんなで分業しているような感じです。

——社会学の主流は、どのアプローチなのでしょうか。

主流派は「社会学は哲学ではない、エッセイではない。実証的な研究、科学としての社会学が大切なんだ」と言います。さきほどの分類で言うと、「データ重視の実証派」が主流といったところでしょうか。

ただ、科学性にこだわり過ぎると、われわれの生き方や社会のあり方についての、期待や理想をみんな切り捨ててしまうおそれがあります。それらを捨ててしまうのでは、そもそも何のために学問をやっているのか。中立を標榜する「科学主義」という名のひとつの思想的な立場にハマッてしまう危険もあります。実証的でありさえすればいいというわけにはいきません。

——主流はミクロかマクロと言えば……。

社会学を作ったコントは、社会を生物有機体のようなまとまりのあるものだと考えていましたし、歴史を三段階に分けて説明するなど、かなりマクロな発想をしていましたね。一方、ほぼ同時代人であるイギリスのスペンサー*は、有機体論的な議論をしつつも、でも生物体の個々の部分が他の部分と取り替えられないように、社会を構成する個々人も無視できないよ、とミクロな視点の重要性も説いていました。社会学はそもそも日常的な共同生活場面の関係性を問題にしますので、その意味ではミクロですが、同時に歴史や社会全体を視野に入れて現代社会をとらえるわけですから、マクロとも言えるので、どちらが本流とは、言いにくいかな。

日本の社会学の始まり

――社会学はフランスで始まった学問ですから、日本はそれを輸入したんですね。日本では、社会学をどのように受け入れてきたのでしょうか。

日本に社会学を持ち込んだのは、帝国大学で教えるために日本に来たフェノロサ**です。帝国大学、つまり当時の国立大学はまだひとつしかなかったので、東京帝国大学とは呼ばず、単に帝国大学と言ったんですね。フェノロサは、その帝大で欧米の事情を英語で講じるなかで、ソシオロジーというものがあると教えた。そのときにソシオロジーって何て訳すんだ、と大きな問題になりました。

すでに、ソサエティの訳語として「社会」という言葉はできていました。けれども、ソシオロジーというコントが作りだした言葉の訳語はまだなかった。当時のアイデアとしては、例えば、「世態学」はどうだろうか。ソシオロジーの前半分のソキウスは、仲間、交際、交流をあらわしているのだから、「交際学」ってのはどうだろうか、とかね。人が会って社交しているものを研究するのだから、「会社学」はどうだろうかというのもあったようです。いろいろあったなかから、「ソサエティは社会と訳すのだから、社会学と訳したらどうだろうか」ということになったわけです。

――日本の社会学も、コントから始まったのですか。

いや、日本に最初に入ってきた社会学はコントではなく、実は、さっき話に出てきた英語圏のスペンサーの社会学です。スペンサーは、「社会が大事だ」とも「個人が大事だ」ともとれるようなことを言っていた。混乱が続く明治時代、政府は「スペンサーの社会学は、国を管理しコントロールするとてもいい発想だ」というように捉えた。一方、自由民権運動の人たちは「スペンサーは個人を大切にしろと言っているのだから、スペンサーの社会学は個人に配慮した学説だ」と捉えて活用した。政府側と反政府側の両方で、まったく反対の捉え方をしていました。

――近代になると、人びとは共同体から離れていく。村や家族とは異なる「この私」、個人というものを自覚するようになる。それ以来、みんな「自分って何なんだろう」「自分は社会と

＊Herbert Spencer（1820-1903）：翻訳で読める彼の論考は、『世界の名著36　コント・スペンサー』（中央公論社）に収録されている。
＊＊Ernest Francisco Fenollosa（1853-1908）：アメリカの哲学者にして美術研究家。一八七八年（明治十一年）来日。

どう関わっていけばいいのだろう」と考え、悩み続けています。社会学の歴史を聞くと、ああでもないこうでもないと混乱しながら歩んでいるようですが、それは近代人が自分と社会との関わり方を考えるときの混乱をモロに反映しているからではないでしょうか。社会学史自体が、「近代的な個人」の歴史とイコールである。つまり、社会学は骨の髄まで近代的な学問であり、その導入期から近代の混乱と矛盾をモロに体現した学問である。だから、社会学に取り組むことは、近代末期を生きているわれわれの手がかりとなる。そう思われて、非常におもしろいですね。

ぼくも、まったくそのとおりだと思っているんですねえ。社会学の歴史をたどっていくと、それが社会の歴史にもなっているというおもしろさがありますからね。例えばポストモダンの傾向やグローバル化の側面などが社会学に反映されて、ポストモダン社会学やグローバル化社会学が展開される。社会学史のおもしろさは、社会学を通して時代の現在が見えてくる点ですね。

ついでに話しておきますと、ドイツでは、ローレンツ・フォン・シュタイン*という人が社会学の創始者と言われています。一八八〇年代、シュタインのもとを伊藤博文が訪れて、憲法・行政法を学んだ。その伊藤博文が、後に初代総理大臣となって日本の骨格を作っていくわけですね。

——日本の社会学は、第二次世界大戦前はスペンサー社会学の影響下にあった、と考えていいのでしょうか。

いや、スペンサーはあくまで導入の部分で出てきただけで、その後すぐにコントの社会学が導入されます。戦前の社会学は、コントの社会有機体説を国家有機体説と読みかえて超国家主義的な発想になっていくのですが、しだいにドイツの社会学が盛んになります。ヴェーバーやジンメルを含めて、とても哲学的、理論的な傾向を持っていました。

――戦後の日本社会学はどうだったのでしょう。

一九三〇年代から徐々に社会調査の考え方や技法がアメリカから入ってきましたが、とくに戦後は、「戦前の社会学は本来の社会学ではなくて、社会哲学に過ぎなかった。もっと実証的な、科学的な社会学をやらなくちゃいけない」と言われるようになりました。国家は天皇を中心としたひとつの有機体だといった観念論的な社会観ではない、例えば、世論調査をして人びとの意見をくみ取るような新しい科学にならなければいけないと。「民主国」アメリカの影響が強くなっていったのですね。

しかし、それには弊害もありました。事実性、実証性、客観性という言葉に追いやられて、われわれの生き方とか社会のあり方とかといった、社会学が問おうとしていたことが忘れら

＊Lorenz von Stein（1815-1890）：ドイツの法学者・社会学者。大学では国家学と社会学を分けて講じていた。

れがちになってしまった。メリットとともに大事なものを手放してしまうデメリットもあったと思うわけです。

——アメリカの社会学は、過度に調査や実証性を重んじる社会学だったんですね。

愛されない学問？

ついでにと言っては失礼ですが、イギリスの社会学についてもお話ししておきましょう。イギリスとアメリカは「英米」とひとくくりにして話されることがよくありますが、社会学に関してはイギリスとアメリカはずいぶん事情が異なります。

イギリスには、オクスフォードやケンブリッジのような十二、十三世紀にできた古い大学があります。そこには、修辞学とか、哲学とか、数学とか、中世以来の伝統をふまえながら大きな問題を何十年もかけて検討するのが学問であって、最近のことをちょこまかと動き回って研究するなんて学問ではないという風潮があります。

ぼくの友人が十五年ほど前にケンブリッジ大学に行ったときのことですが、指導を受ける先生のまわりの人たちから「社会学はケンブリッジではまだ地位を得ていないから、社会学者と名乗らないほうがいい。ソーシャル・サイエンティスト、社会科学者と名乗ったほうがいい」と助言されたそうです。彼を指導する先生はギデンズ*だったのですが。

——ギデンズと言えば、たくさん本を書いている、世界的に有名な社会学者ですね。そのギデンズがいても、ケンブリッジでは社会学は認知されていないのですか。

そういう環境だからこそ、ギデンズは社会学を根付かせようとして数多くの本を書くなど、必死になって仕事をしたのでしょうね。ぼくは、ギデンズの考えをすべて評価しているわけではありませんが、出版社まで作ってがんばっている姿は立派だと思っています。

——日本の社会学はスペンサーから始まったけれども、そのスペンサーの母国イギリスでさえ、社会学は認められてこなかった……。

そのとおりです。ある意味アメリカと好対照なのですが、イギリスの場合は、もうひとつマルクス主義の伝統があって、労働運動の歴史を持っている。そんなこともあって、イギリスの社会学は、歴史的に、労働運動や社会主義運動と結びついて展開されてきました。ですから、一九七九年に保守党のサッチャー首相が登場してから、社会学は労働党のイデオロギーであると見なされて、社会学の予算が大幅に削られるということもありました。そうじゃないんだ、それだけじゃないんだとギデンズはがんばったんですね。ギデンズ以降、イギリス社会学は元気が出てきましたよ。

＊Anthony Giddens（1938-）：著書は、『社会理論の最前線』（ハーベスト社）、『近代とはいかなる時代か？』（而立書房）、『第三の道』（日本経済新聞社）など多数。

ちなみに、旧ソ連や中国では、社会学はブルジョアの学問だと非難され、中国では禁止されていた時期もあったんです。

――社会学は、ソ連ではブルジョアの学問と言われ、サッチャーには労働党のイデオロギーと言われ、しかも一般市民には訳がわからないと言われる。誰からも愛されない学問なんですねえ（笑）。

2　現代社会学の出発点

現代社会学の第一世代

そう言われると、ミもフタもないな。それでも、社会学は二百年近くも続いてきました。それは、やはり他の学問にはない独特の魅力があったからでしょう。その魅力についてうまく伝えられればいいんですが……。

そこで、繰り返しをいとわず話を続けておくと、社会学は、当初は、マクロな対象としての社会を哲学的に考えていた。社会を生物有機体と同じような存在として、一種のアナロジーで語るとかね。それはコントやスペンサー、シュタインにも見られたわけです。しかし、その発想への反発、反動はすぐに起こりました。スペンサーにも心理的なものや社会を構成する個々人を重視するといった傾向が見られること、そのことは、明治政府と自由民権運動のところでも触れましたね。その後、社会学発祥の地フランスでも、ル・ボン*やタルド**といった人が現れて、心理的なものに着目していくのが社会学の正しいあり方なんだと主張した。ル・ボンは群衆心理、タルドは世論や模倣のあり方を研究しました。

ドイツでは、テンニース***が出てきます。有名な「ゲマインシャフトからゲゼルシャフトへ」っていう議論をするのが、一八八七年に出版された本。その本の最初の副題は「社会主義と共産主義」という文字が入っていましたが、二十五年後の再版では「純粋社会学」の本なんだっていう副題になっている。テンニースは、「ゲマインシャフト」「ゲゼルシャフト」という基本概念で、心的な意思のあり方、人びとの心的な意思による結びつきのあり方を考えています。つまり、現在では、ゲマインシャフトやゲゼルシャフトは集団類型論のように語られているけれども、前者には結合への本質意思が、後者には結合への選択意思があるというように、その根底には意思論があったんです。群集、世論、模倣を論じてきたル・ボンやタルドなどフランスの社会学者の考え方とも、底の部分ではつながっていると見ることができます。

――マクロな見方（社会全体を大きく見る見方）とミクロな見方（個々人のあり方や心理にこだわって見る見方）が、社会学の二つのアプローチですね。片方だけでは、哲学か心理学のようですが、両方そろうと社会学らしくなりますね。

ええ。十九世紀の半ば以降にその両方が出そろって、やっと社会学らしくなりました。そして、十九世紀から二十世紀の変わり目には、社会学は本格的な展開期を迎える。ドイツではマックス・ヴェーバー****、フランスではエミール・デュルケム*****といった社会学の巨匠が登場します。彼らをぼくは、「現代社会学の第一世代」と呼んでいます。

――すると、コントやスペンサー、テンニースらは、社会学の前史に過ぎない。

そうです。ただし、テンニースは微妙でね。さっき触れたように『ゲマインシャフトとゲゼルシャフト』は、初版から二十五年経った一九一二年に第二版が出た。そのとき、彼は現代社会学の祖のひとりとして、もう一度読み直されたんですね。

デュルケム

――いやあ、ついにヴェーバーやデュルケムが登場しました。グッと社会学っぽい話になりますね。

＊Gustave Le Bon（1841-1931）：著書『群集心理』（講談社学術文庫）。
＊＊Jean-Gabriel de Tarde（1843-1904）：著書『世論と群集』（未來社）。
＊＊＊Ferdinand Tönnies（1855-1936）：著書『ゲマインシャフトとゲゼルシャフト』（岩波文庫）。
＊＊＊＊Max Weber（1864-1920）：著書は、『プロテスタンティズムの倫理と資本主義の精神』『理解社会学のカテゴリー』『職業としての学問』『社会学の根本概念』（いずれも岩波文庫）、『支配の社会学』（創文社）ほか、翻訳多数。
＊＊＊＊＊Émile Durkheim（1858-1917）：著書は、『社会学的方法の規準』『宗教生活の原初形態』（ともに岩波文庫）、『自殺論』（中公文庫）など多数。

デュルケムの社会学は「社会学主義」と呼ばれます。

——社会主義ではなく、社会「学」主義ですね。

そうです。例えば、法や慣習、あるいは言語を考えてみましょう。それらは、人が創ったことは確かだが、その存在は個々人では変化させにくい。物理的に形あるものとして存在するわけではないけれど、個人の思い込みでもない。物として手に取ることはできないが、「そんなものはない」と思えばなくなるわけでもない。つまり、個人意識には還元できない、集合意識、集合表象といった水準を考える必要がある、その水準で考察するのが社会学だということです。

デュルケムは『自殺論』という本を書いています。そこで彼は、自殺のようないかにも個人的な現象であっても、やはり、個人意識だけではなく、全体の集合意識状態のようなものを見ていかなければいけないと言います。それを抜きにしては、個人的な心理や行動を十分説明できないのだと。

集合意識は、もちろん個人の意識が集まってできています。しかし、例えば、水は酸素と水素が化合してできているけれども、水素と酸素の特性を知れば水の性質がわかるというわけではありませんね。水には、水素や酸素とは異なった水準の性質がある。単純に水素や酸素といった要素だけを見れば全体が見える、とは言えない。デュルケムは、個々の構成要素とは異なった、個人にとって外在し、かつ個人を拘束する「社会全体」の水準があるということを強調しました。そして、そういう社会のなかで生活が営まれているのだから、個々人の行為や意識も社会の側から説明する必要があると考えたわけです。デュルケムの社会学主義とは、その「社会全体」の水準で考える立場の表明なのです。

——物質的な次元でもなく、個人の心の次元でもない、第三の次元があり、そこに存在するものがある。デュルケムは、まさにその第三の次元を考えていくのですね。

まあ、お好みでしたら、そう言ってもいいですが（笑）。そういう次元が創造されて発生するという意味で「創発」するとは考えていました。

ヴェーバー

次にヴェーバーに移りましょう。デュルケムとほぼ同時代人であるにもかかわらず、マックス・ヴェーバーの社会学は、デュルケムとは逆の立場だと言われています。

ヴェーバーは、晩年に近づくにつれて、「自分の仕事は社会学である」と強く自覚するようになり、それまでの自分の思索のすべてを社会学という器のなかに盛り込もうと企てました。そうして書かれた本が『支配の社会学』などを含む『経済と社会』という大著で、その冒頭に位置するのが「社会学の基礎概念」です。これは岩波文庫版では『社会学の根本概念』と訳されていますが、法律家として自らのキャリアをスタートさせたヴェーバーらしい、法の条文みたいに書かれた短い文献です。そこに社会学の定義が書かれています。「社会学とは、社会的行為を解明的に理解し、その経過と結果を因果的に説明する」学問だとね。簡単に言えば「社会学は、行為を理解し説明するんだ」と言っている。そして、「行為」とは「主観的な意味を込めた行動」のことだと言っている。

例えば瞬《まばた》きは、単に生理的な行動あるいは反応であって、それに主観的な意味を込めているわけではない。だから、行為とは言えませんね。しかし、誰かに向かって片方の目だけ瞬きすれば、それは意図的、意志的、目的を持った主観的意味が付与された、ウィンクという「行為」になる。ヴェーバーの言葉ではフェアハルテンではなくハンデルン、英語で言えばビヘイビアではなくアクションになる。この「行為の理解と説明」から出発して、ヴェーバーは社会全体の説明まで突き進んでいきます。

教科書的に表現すれば、ヴェーバーは個人から出発して社会へという形で、デュルケムとは好対照をなすアプローチをしたとされるわけです。

社会学と帝国主義

――ヴェーバーとデュルケムという二大巨頭が登場して社会学が本格的に始まった時代は、帝国主義の時代です。ヨーロッパ人が植民地を持って、自分たち以外の社会を知った。そのことと社会学の誕生は、関係があるのでしょうか。植民地の社会をコントロールしなければならないと思ったとか。あるいは、植民地の社会、自分たちとは異質な社会を知ることで、振り返って自分たちの社会を外から見ることができるようになったとか。いわば、社会学は帝国主義の産物なのでしょうか。

そういう側面もあると思うけれど、それほど単純な話ではないでしょう。確かにヴェーバーは、ドイツが国民国家としてあるためにはどうしたらよいのかと盛んに論じていたし、デュルケムもフランスのあり方を問題にしていた。ドイツもフランスも植民地獲得に乗り出していて、そのことを背景に、国家のあり方を問題にしていたわけですね。しかし、植民地そのものを問題にしていたわけではないし、帝国主義そのものを大きな問題意識としていたわけではない。関心は自国のことにあった。

アメリカでは、二十世紀になってクーリー*やミード**が本格的に活動し、それが理論的な母体にもなって、シカゴ学派の社会学ができあがっていく。それは、移民が流入するシカゴのなかでの社会的混乱をどう秩序立てていくか、そこでの人びとのあり方をどうすべきかと考えていく社会学。それも二大巨頭の登場とほぼ同時期です。ミードは、Iとmeからなる自我の議論で知られていますが、第一次世界大戦を契機に、国際連盟の問題も絡んで、グローバルな戦争や平和の問題に積極的に発言します。とはいえ、基本的には国家単位の発想ですが。

＊Charles Horton Cooley（1864-1929）：「鏡に映る自我」論を展開したことで知られている。著書としては、『社会組織論』（青木書店）がある。
＊＊George Herbert Mead（1863-1931）：役割論や自我論の視点から、子どもの発達をごっこ遊びのような「プレイの段階」から草野球のような「ゲームの段階」へと進むといった議論をしたことでも知られている。著書は、『精神・自我・社会』（人間の科学社）、『社会的自我』（恒星社厚生閣）、『プラグマティズムの展開』（ミネルヴァ書房）などがある。

——社会学の誕生は、帝国主義とは言わなくても、グローバル化とは関係があったと言えそうですね。グローバル化する社会の自己意識、あるいはグローバル化の自己批判といった側面が社会学にはあるような気がします。

ぼくは、グローバル化という言葉を、肯定的にでも否定的にでもなく、中立的に使いますが、一八七〇年代くらいからの近代国民国家の本格的な発展のなかで、現代社会学の第一世代は確実に帝国主義時代のグローバル化の渦中にあったとは言えます。

そこで、早くから植民地を持ち、世界の工場として資本主義を発展させていたイギリスを見てみると、社会学よりも人類学のほうが植民地への関心が強い。植民地に行ってみたら、ヨーロッパ人とは違う考え方や、行動様式を持った社会があった。それがとても奇異に映って、関心を持った。そうしてイギリスでは、社会人類学、文化人類学がいち早く発展していった。そう考えると、社会学は、あくまで帝国主義のヨーロッパの内部を問題にするような学問であって、外部への理論的関心を強く持っていたわけではない。

ヴェーバーが関心を持ったのは合理主義や合理化、そして合理的経営に裏打ちされた近代資本主義やその組織的な現れである官僚制社会だった。なぜ、このヨーロッパ、とくに西欧に、合理的な考え方が広まってきたのか。それが彼の大きな問題意識だった。彼の宗教社会学研究のモチーフもここにあります。ヨーロッパ中心の発想を抜けていなかった段階の社会学の限界かもしれません。そう考えると、現在のグローバル化に対する問題意識と、必ずしも一致しているとは言えません。

　――グローバル化は、大航海時代から始まったとすれば十五世紀ぐらいからということになります。そして、資本主義化が進んだ十九世紀、とくにその後半から、グローバル化は急激に進んでいく。それにともなって人びとの意識も変わり、いろいろな学問が成立してくる。グローバル化の渦中にあるヨーロッパ人にとって、外の世界を見る学問が人類学、内を見る学問が社会学だったと言えるでしょうか。

　それぞれの国の事情が異なるので単純には言えませんが、大きな流れではそうだと思います。二十世紀初頭の西洋は、いわば国民国家全盛で、その国民国家をどうするかという課題のもとに社会学はあった。それは、歴史的事実としてそうです。

　二度の大戦を経て一九六〇年代になると、個々の国家を考えるのではなく、それぞれの国家を通して各国家共通に説明できるような理論図式を考えていこうという発想も出てきた。そこに、ある種の国際化が見られるようになってきた。

　しかし、国際化というのはインターナショナル、国を単位として、国と国の際ですよね。今日では、そういう発想では捉えきれない、国家の枠を越えたグローバル化の社会学に進んできている。

　非常に簡単に言えば、二十世紀の経験は、国民国家の社会学から国際関係の社会学へ、そしてグローバル化の社会学へと、三段階のプロセスを歩んできていると言えなくもない。だから、最初からグローバル化で説明するのは無理でしょう。

――そもそも個人と個人が出会って、人と人の関係、あいだができるのではありませんね。関係、あいだがあって、その関係のなかから個人が生成してくるわけです。同様に、国民国家がまずできて、それから国際的な関連が生じてくるのではなく、むしろグローバルな関係が先行して、そのせめぎあいのなかから国民国家が生成してきたのではないかと思ったものですから。

ヴェーバーとグローバル社会

それは重要な点ですね。少なくとも近代初期の十七世紀前後の絶対主義的な国民国家形成期には今の指摘は重要です。例えば、「主権」という概念は、日本では主権在民みたいに言われて国内の権利のように捉えられがちですが、主権というのは他の主権との関係のなかで相互承認的なメカニズムのなかで初めて成立するものです。軍事力ももちろん関係しますが、一応、相互に認め合うことで初めて主権も成立すると言っていい。このメカニズムは現在も変わりませんが、しかし二十世紀初頭の社会学は帝国主義的国家システムのなかで富国強兵的な国内的関心が強かったのです。

でもね、デュルケムもヴェーバーも、つねに一国のことだけを考えていたわけではありません。もしそうだとすれば、ちゃちな、つまらない社会学だったでしょう。彼らが今でも読み直されているのは、全世界がグローバルに彼らの視野に入っていたからだとは言えます。

例を挙げれば、ヴェーバーは二十世紀のはじめに『プロテスタンティズムの倫理と資本主義の精神』という本を書いていますが、それ自体は欧米の話です。でも、彼は一九一〇年代、宗教社会学の研究に没頭していく。そこで彼は、非ヨーロッパの地域の宗教を取り上げ、それと経済社会との関係がどうなっているか、ということをグローバルに考えています。その発展として、彼は『儒教と道教』『ヒンドゥー教と仏教』『古代ユダヤ教』という本を書き、さらにイスラム教についても書くつもりでした。それは実現しませんでしたが、世界宗教の経済倫理という形で、世界に目を向けて論じていたということは確かです。ただその場合も、彼の主題は、ヨーロッパの合理性やプロテンスタントの禁欲的合理主義との比較のためだった。その意味で、最初に言った「国民国家的な社会学」というのは大きく違ってないと思うけれど、確かに視野はグローバルに広がっていた。その先駆者だと言えます。

デュルケムとグローバル社会

デュルケムの場合、晩年近くの一九一二年に『宗教生活の原初形態』という本を書いて、そのなかでオーストラリアのトーテミズムの研究をやっています。彼は人類学者ではないから現地に一度も行ったことはないのですが、人類学者の知見を積極的に摂取して、オーストラリアのトーテミズムに表れている社会生成、あるいは、社会構成のあり方を論じていこうとした。ぼくはデュルケムの発生論とか、制度の生成論とか言っています。その視野は、世界的、歴史的な広がりを持っていました。それはまちがいありません。

ここで一点付け加えますが、さきほど教科書的な分け方で、デュルケムは社会から、ヴェーバーは個人から論じたと言いましたが、それだけが彼らの方法論だとすると、どちらも、グローバルな展開は見えなかったわけです。ヴェーバーは個人から出発する個人主義の社会学だと単純に言ってしまうと、彼がもくろんでいた「世界宗教の経済倫理」のような、大きな宗教社会学の仕事は説明できなくなってしまいますね。

反対に、デュルケムがおこなったオーストラリア原住民の社会の研究は、個々人からなる小さな範囲の話、せいぜい部族単位の話ですから、デュルケムは社会全体からだけ見ているなんてイメージとは矛盾します。

宗教、レリージョンは、レリギオというラテン語がもとになっているのですが、それは、人びとが結びつくっていう意味です。デュルケムは宗教を論じたかったのでなくて、むしろ宗教というものを通して、個々の人びとが結びついていくプロセスを語ろうとしていた。さきほど、社会構成とか社会の生成とかと言ったわけですが、宗教を媒介にしながら、あるいはトーテムを媒介にしながら人びとが結びついて、より大きな社会を作っていくプロセスを説明しようとしていた。その意味では、ヴェーバーと大きな違いはなくなってくる。教科書的な説明では不十分だということを、ここで補足しておきます。

――グローバル化が進む。それと無関係ではなく、国民国家が成立する。そして、国民国家の学として、社会学が登場する。社会学は、いわばヨーロッパ社会の自己意識として成立した、と考えられるのではありませんか。すると、今、いっそうグローバル化が進んでいるのだから、社会学も、さらにグローバルな時代の自己意識へと変革されなければならない。そう言ってもいいでしょうか。

ほぼ問題ないでしょう。それは、時代の変化とともに社会学も変化するということでね。さきほど、一八七〇年代の近代国民国家の本格的な展開って話をしましたが、日本も一八六八年から明治になって、新しい段階に入っていきます。そして、「脱亜入欧」という言葉もあるように、ヨーロッパのあり方を摂取していく。その時には、その時代の社会学が、大きな思考の糧になっていました。だから、ヨーロッパの自己意識として社会学が導入されてきたことは確かです。そのように、社会学は近代国家あるいは近代国民国家の基層の発想の一部なんだと受け取られて、ヨーロッパを越えて近代化をめざす各国に広がったわけですね。

――近代化とヨーロッパ化、それを同じものとみなすか、違うものとみなすか。難しいところですね。

そう、難しい問題です。さらに、グローバル化って言葉ひとつとっても、国によって違います。中国で開催された「国際社会学会」に参加したときにあらためて確認できたことですが、中国の社会学者たちの言う「グローバル化」とは「近代化」のイメージなんですね。中国の経済をどういうふうに組織化して、経済発展を遂げていくか。モダニゼーションのプロセスのひとつとしてグローバリゼーションを考えている。しかし、欧米や日本で「グローバル化」と言われるときは、そうではない。そうなると、インドではどういう意味だろうか、アフリカやラテンアメリカではどう使われているのだろうか。ひとつひとつ見ていく必要がありそうです。

——日本の近代化は、明治と戦後の二段階で進められました。「世界へ」という意識を、民衆のレベルでも強く持った時期があったのですが、それはまさに、近代化していく明治の始まりと、戦後まもない一九五〇年代です。そうすると、中国で「グローバル化」という言葉を「近代化」と同じようなものとして扱っているのは、今、われわれの耳には奇妙に聞こえるのですが、同じような発想は、日本人も通過してきているのかなあと思います。

そう思いますね。明治初期の一八七〇年前後には、アメリカはまだ必ずしも大きな国ではありませんでした。なんせ、南北戦争が終わった後です。ですから、社会学もヨーロッパに目が向いていた。戦後の場合には、もちろんアメリカと戦争して占領されたという経緯もあって、アメリカに目を向けた。そして、アメリカ社会学がどっと入ってきた。日本の人びとも、アメリカの方を向かされた。つまり、アメリカの覇権が確立しつつあったという時代状況がありました。民衆のレベルで持ったというより、持たされたというべきでしょうね。

——簡単には言えない問題が多々ありますが、ともあれ、グローバル化、近代化、国民国家の成立、それらと社会学の成長とは密接に関わっているわけですね。

II　現象学の話を聞く

1　現象学の第一歩

現象学とは

――ここからは、「現象学的社会学」という名称の上半分、現象学のことを教えてください。

社会学だけでなく、現象学も「よくわからない」と言われることがあります。

一九九〇年代半ばにしばらくアメリカに行っていたときのことですが、ある大学の語学の先生に、社会学のなかで何を研究しているのですかと聞かれて、「現象学、フェノメノロジーです」と答えたんです。すると、アメリカの大学の先生であっても、哲学者でなければなかなか理解してくれません、「フェノメノロジーって何、ソーシャル・フェノメノン、社会現象を研究する学問なのか」と言われました。一般のアメリカ人には、もうほとんど理解してもらえませんでしたね。まあ、アメリカ人は哲学嫌いですから（笑）。

もっともドイツでも、そう一般的ではないかもしれない。ヘーゲル*の『精神現象学』もありますから、現象学という言葉自体は知られているだろうと思いますけど。

――現象学とは、フッサールの哲学であると考えておいていいでしょうか。

現象学という言葉は、カント**、ヘーゲル、それにマッハ***なんかも使っていますが、今日、哲学で現象学と言えば、通常、それはフッサール****、ドイツ語風に発音すればエドムント・フッセルという人が言い出した言葉ですね。

――現象学と聞けば、現象についての学なのかと想像はつくわけですが、しかし、そもそも「現象」という言葉自体が難しい。

ええ。さきほどアメリカの語学の先生の例を出しましたが、現象学を理解する際にいちばんの躓《つまず》きのもとになるのが、現象学の「現象」です。あまりにも理解しにくいので、フッサール自身も繰り返し言い方を換えて説明しています。お弟子さんたちも現象についてあれこれ語っているのですが、どれを読んでも、スッとわかるというわけではない。それで、ぼくはいつもこう言っています。

現象学でいう「現象」とは、われわれの意識、精神、心に、立ち現れてくる形、形象のことだと。

「現象」の「現」は、「出現」の「現」、現れるですね。「象」は、「形象」の「象」で、形っていう意味。だから、簡単に言うと、心に立ち現れてくる形象を、心に映ずるままに、それがどういう形、どういうものなのかということを記述していくのが現象学だということです。ただ、非常にラフな説明なので、これで最後まで押していくつもりはありません。現象学を学び始めるにあたっての「とりあえず」の出発点ということです。

現象学は主観主義か

――今の言葉だけを聞いて単純に反応すると、「主観的な印象を素直に書くのが現象学だ」と受け取られると思うのですが。

そういう意味で主観主義ではないかという指摘は、出発点においてはそのとおりだと思います。笑い話がありましてね。フランスの博士論文の審査のとき、審査員が論文提出者に対して言ったらしいんです。きみのこの論文は主観的だ、客観性を持っていない、きみの主張

＊Georg Wilhelm Friedrich Hegel（1770-1831）：弁証法で知られるドイツの大哲学者。著書は、『精神現象学』（平凡社ライブラリー）のほかに、家族・市民社会・国家を論じた『法の哲学』（中公クラシックス）など、多数ある。
＊＊Immanuel Kant（1724-1804）：著書『純粋理性批判』『永遠平和のために』（ともに岩波文庫）など多数。
＊＊＊Ernst Mach（1838-1916）：オーストリアの哲学者・物理学者。音速のマッハは彼の名前に由来する。彼の考えは、アインシュタインにも影響を与えたとされている。著書に『感覚の分析』（法政大学出版局）などがある。
＊＊＊＊Edmund Husserl（1859-1938）：本文で挙げられていない翻訳の著書としては、『現象学の理念』（みすず書房）、『厳密な学としての哲学』（岩波書店）、『経験と判断』（河出書房）などがある。詳しくは本文参照。

は証明できていないではないかと。すると、提出者はそれに答えて、いえいえ、とんでもないことをおっしゃる、私は現象学の方法を使って、自分の考えていることをそのままに記述したんです、これが現象学というものですって言ったとか。そういうふうに「主観を記述するのが現象学だ」っていう誤解はよくあります。

しかし、まあ、とりあえずの出発点としては、それでもいいでしょう。

——とりあえず、現象学は主観的な印象を記述するものだ、と押さえておく。しかし、現象学とはそういうものである、と決めつけるとまちがいになってしまう。

そうです。なぜかと言えば、それが不正確であるという以外に、さらに理由が二つあります。

ひとつは、フッサールの思想も変化しているということ。フッサール自身、経験を積み、齢を重ねた。そして、時代も変わり、フッサールの考え方も変わっていった。「出発点として」とりあえずはそれでいいけれども、それだけでフッサールの思想全体を理解しようとするのは無理があります。

もう一点。フッサールの思想の展開それぞれを、その後、お弟子さんたちがさまざまに発展させていきました。それらもみんな現象学の一部です。フッサール自身の思想の展開とフッサールの後継者たちの思想の展開、とくに後者の展開は「現象学運動」とも呼ばれていますが、この両方の展開を押さえなければ、現象学を理解することはできません。そして、後継者たちの思想は、とうてい「主観的な記述」といった狭い枠におさまるものではありません。

デカルト

――現象学は登場した時点では画期的なものだった。では、それ以前の哲学はどういうものだったのでしょうか。

それでは、近代哲学の簡単な復習みたいな話をしましょう。

十七世紀に、ルネ・デカルト*というフランスの哲学者が「我思う、ゆえに我在り」と言いました。この言葉は、いろいろな解釈が可能ですが、「我思う」、つまり「私が考える」からこそ「私は存在している」と言う。この一文の後段はおいておくとして、この「我思う」、我が思惟するということを、デカルトは自分の哲学の出発点に据えたわけです。

そうすると、「我」でないものは、主観が捉える、主観ではない客観となる。「我思う」というところで主観を立て、それが対象として捉えるものが客観である、となる。「思惟する精神」と「延長する物体」の「主観―客観」という二元論的な世界が、主観に着目したデカルトによって切り開かれていきました。その主観つまり心が、自らの身体を対象＝客体とし

＊Runé Descartes（1596-1650）：著書は『方法序説』『哲学原理』（ともに岩波文庫）など。

て捉えれば、心身二元論となる。

かつてガリレオ・ガリレイは、「自然のなかには数学の言語が書き込まれている」という趣旨のことを言っています。つまり、客観的に存在する、数学的な秩序を持った対象の世界があって、それを主観、この場合は科学者の主観が読み解いていく、と考えていた。そういう主観と客観の二元論の基本を明確に定式化したのがデカルトだったのですね。

――デカルトは、客観的な世界を想定し、科学的な見方を唱えた。つまり、デカルトは、今日の私たちがあたりまえだと思っているような世界の見方、その土台を築いたわけですね。

デカルト以来、主観と客観を分けることを前提として、ものごとを考えるようになっている。それに対してフッサールは、心に映ずるままの現象を記述する、つまり、対象があって、それを主観が捉えたさま、と単純に言うのではなく、主観と客観が分離する以前の、主観も対象もない一体となった形で溶け込み合うような体験的認識を考えていこうとしているように思える。あるいは、フッサールには、そういう方向がかいま見える。

ただし、そう断定的には言い切っていないところが微妙ですね（笑）。フッサールのその後の展開をふまえた上で、振り返って現象学の出発点を見直してみると、そういうふうに言っておいたほうがいいと思うわけです。

現象学は第三の道か

――この世界の何もかも、あるいは意識している何もかも、すべて主観的なものだと言おうとすると、しかし、その世界、その意識の内容はすべて対象であって、対象のない主観はありえないことに気づく。反対に、この世界の何もかも、すべて客観的に存在するのだと言おうとすると、いや、結局は主観が捉えたものだと気づく。つまり、主観一本槍で議論を進めようとしても、客観一本槍で議論を進めようとしても、どちらも破綻してしまいます。そういう「主観主義か客観主義か」という不毛な対立に対して、フッサールは、「いや、そのどちらでもない第三の道がある。すべては主観だとかすべては客観だとか、そういう議論をする前に、まず、ひとつの世界体験があるはずだ」と言う。つまり、何らかの体験があって、それから体験を分析して、主観だ客観だという話に進んでいくのであって、私は主観と客観を対立させた図式を考え始める前の部分を問題にするんだ……と。こういう言い方をすると、ちょっと違ってきますか。西田哲学みたいですか（笑）。

それはそれでとても的を射た整理だと思うんだけれど、早い段階でのフッサールは、もう少し「主観―客観」を強く意識していると捉えたほうがいいと思います。今の指摘は、後期のフッサールなどにはそういう場面が見えてくるから、ある程度フッサールのことを勉強している人から見れば納得はいく。けれども、時代的な順序から言うと、フッサールは、必ずしもその第三の道を選ぼうとして現象学を始めたわけではありません。

数学から始まる

フッサールは、むしろ本格的に現象学を展開する前に、いわば別の第三の道を考えていたんです。実は、彼はもともと数学で学位を得て、数学者として身を立てようとしていたんですね。けれども数学を研究しているうちに、「数とは何か」と思い悩むようになった。数が一、二、三と増えていくのは、「増えていく」というふうにわれわれが思い込むからだ。つまり、数が多くなるということは、心理的な基礎づけができる。心の働きで説明できる。フッサールは、最初そう考えたんですね。

けれども、それは評判が悪い考え方で、フッサールはひどく批判された。そして彼は、心理主義から論理主義に移る。一とか二とかという絶対数は、主観とか客観とかに関わらない、いわば第三の世界がある、そこに論理の世界があると言い出すんです。

わかりやすい例を挙げましょう。これは、プラトン以来よく使われる例ですが、ぼくらはノートや黒板に円を描きますね。円というのは、現代の初等数学風に言えば、中心から等距離の点の集合です。しかし、ぼくらが描く円は、厳密には中心から等距離の点の集合にはなっていない。いびつになっていたり、円が完結していなかったりします。でも、われわれには、それが円だということがわかる。なぜでしょう。

それは、「円は中心から等距離の点の集合である」というような言葉で理解しているからではなく、完ぺきな円というのはこういうものだという論理、いわばイデア、理念、理想を直観しているからではないでしょうか。円のイデアがあるからこそ、少しゆがんでいようと不完全だろうとそれは円だと認識することができる。そういう理念的な対象が数、数字の場合にも言える。こういう立場を論理主義と言います。フッサールは心理主義から論理主義へと移行したわけです。

でも、そういう論理主義がわれわれから離れたところで完ぺきに成り立つものなのかどうか。仮に成り立つとして、われわれの生活にとって、それはどういう意味を持つのかなど、また別の問題が生じてきます。論理主義という別の第三の道もあったけれども、それだけではわれわれの認識の問題をきちんと説明できない。そう思い至って、フッサールは本格的に現象学を展開し始めるわけです。論理主義を超えたところで、現象学が出てくると思ってもらえばいいですね。

2　現象学とは何か

現象学の三つの文脈

――経済学の場合は、経済が研究対象です。経済の仕組みはこうなっているんだよと説明します。しかし現象学の場合は、現象「を」説明するのではなくて、現象「として」説明するように思えます。そうなると、対象のない学問、方法論だけの学問という印象を受けるのですが。

いやいや、それは、まだちゃんと話していないからです。さっそく内容に入りましょう。

さきほど、フッサール自身がその生涯において自分の思想を展開していっていると言ったけれども、現象学には少なくとも三つの展開、三つの文脈があるんです。時代の変化もあって、強調点が移動する。ひとつは「意識経験の文脈」、次が「危機認識の文脈」、最後は「意味生成の文脈」、とぼくは名づけています。

第一の文脈・意識経験の仕組みを考える

まず、「意識経験の文脈」の話をしましょう。さきほど、心に立ち現れた形象を問題にするのが現象学だというお話をしましたが、現象学は出発の時点においては、意識や経験はどういう仕組みと働きで成り立つのかを研究した学問なんです。

――その場合、「現象」という言葉と「意識経験」という言葉はイコールですか。

ええ、ほぼイコールと思ってください。ここで「現象」という言葉を使わなかったのは、これから「現象学には三つの文脈がある」と話したいから。ここで使ってしまうと、後々話が混乱してしまいますからね。

「意識経験の仕組みと働き」とは何なのか。「意識は何ものかについての意識である」という言葉を聞いたことがあるでしょう。「何かを意識する」ということは、「意識している働き」と「意識されている対象」があるということです。

これはさきほどのデカルトの「主観―客観」の考え方に近いのですが、必ずしも同じではなく、フッサールは「志向性」という彼なりの用語を使います。ドイツ語でインテンチオナリテート、英語でインテンショナリティですが、どちらも日常的に使われているインテンション（意図）の関連語です。

そしてフッサールは、主観が客観を志向する際に、その志向する作用を「ノエシス」と呼び、志向される対象を「ノエマ」と呼びます。こちらは日常語ではありません。このへんの議論は、主題と地平であるとか、意味の問題であるとか、時間の問題であるとか、そういった論点を含めて緻密におこなわれています。「厳密学」をめざしたフッサールによって非常に細かな意識経験の分析がなされました。しかし、今は現象学の全体をつかまえたいので、そこまでは立ち入らないことにしましょう。

自然的態度

——どのようにして意識経験の仕組みと働きを捉えるのですか。

それについては、方法論を二つお話しします。

ひとつは「エポケー」です。

今話しているようなことは、普通、われわれは考えないで暮らしていますね。そういう自然のままの態度を「自然的態度」と呼びます。自然的態度をいったんやめましょう。自然的態度をカッコに入れる、スイッチを切るなどと、フッサールは表現します。

例えば、目の前に時計があれば、われわれは意識せずに自然にこれを時計と思っているわけです。けれども、これを時計と思う自然的態度をとらないで、あらためてこれは何なのかと見てみようというのです。すると、金属のカタマリだとか、ガラスがはまっているとか、数字が書かれている。これは何だろうかとか、日常的にあたりまえだと思っていることが新たな問いとして現れてくる。

それを、「自然的態度」の「判断停止」とか「判断中止」、あるいはギリシャ語由来で「エポケー」と言います。「自然的態度」の「還元」という言い方もします。さっきのカッコに入れる、スイッチを切ると言ったのと同じで、こうした還元という方法をとって、自然的態度の見方を批判的に見る。つまり、検討してみる。これが、現象学のひとつの方法論です。

本質直観

もうひとつの方法論は「本質直観」です。

円のイデアの話をしましたね。描かれた円は正確なものではないけれども、円というイデア、形相、完全体みたいなものがある。円は中心から等距離の点の集合である。それは実在はしないかもしれないけれど、イデアとしてある完ぺきな姿です。あるいは、正方形なら、四つの直角と同じ長さの四つの辺ですね。そのような、そうしたものなくしては正方形が捉えられない不可欠の要素。そういうものを「本質」と言います。

現象学は、自然的態度を批判し、エポケー、還元という方法によって本質を把握する学問である。フッサールは、現象学は事実学ではなく本質学である、と言います。ひとことで言って、現象学は本質直観する学である、みたいな。

ただ、「本質直観」という言葉は、誤解を招きやすい表現だったと思います。現象学の立場を貫けば、本質が直観できるんだ……まるである種の宗教か占いの宣伝文句のように誤解されてしまう。非常に評判が悪い表現です。ともあれ、第一の意識経験の文脈では、こういう意識のあり方、経験の仕組み、構造と機能といったことが考えられていたわけです。

――「自然的態度」をひとことで言ってしまうと、「あたりまえのことをあたりまえに見ている態度」ですね。そのことを反省もしない。で、そういう態度のことを、現象学者はハタから見て「自然的態度」と呼ぶ。

そういうことです。

――そのとき、人びとはあたりまえのことをあたりまえに見ながら、実は、「これはあたりまえだ」と判断しているわけですね、判断しているという自覚もないままに。だから、そういう「判断」を「停止」せよと言う。それはわかるのですが、では、「還元」というのは、何を何に還元せよと言うのでしょうか。

自然的態度から現象学的態度に還元する。

――「酸化」というのは、酸素がくっつくこと。それと反対に、酸素を取り去るのが「還元」ですね。意識経験から自然的態度を取り去る、あるいは自然的態度に基づいた判断を取り去るのが還元であると。

ええ、そうやって本質に至る。

——その場合の本質というのは、「〇〇として見る」というときの「〇〇」と受け取っていいのでしょうか。先生が黒板にいびつな形を描いても、生徒はその形を「円として」見る。その場合の「円」のようなもの。

そのとおりです。だからフッサールは、類型っていう言葉も使っています。「円として見る」というとき、「円」は、類型、ひとつの純粋類型なわけですね。

——出発点の段階では、現象学とは「現象から出発して本質へ至る学問」だったのですね。

われわれの主観の構造と機能、およびそれを明らかにするための方法論、この二つがいっしょになって、現象学の第一の内容がスタートしました。

——対象がコレ、アプローチする方法がコレと区別されていなくて、いっしょになっているところが、現象学のわかりにくいところですねえ。

フッサールの言い過ぎ

ひとつ補っておきましょう。そもそも「その主観って何なの」という問いも、当然まだ出てきます。主観自体についても、自然的態度のエポケーをおこない、還元をしていくと、「これが主観の形相＝本質である」と判断する何かがあるわけですよね。

つまり、われわれは日本語の世界で生きているとか、文化のなかで一定の拘束を受けている、そういうものを全部取り払っていけば、いわば心の本質みたいなものが見えてくるだろうと考えられる。そんなものがあるのでしょうか。「それはある」とフッサールは言ってしまったんですね。

それが超越論的主観性です。日常的な主観性ではありません。還元を施して、「そもそもどういうものだったのか」という、超越論的な、あるいは現象学的なと言ってもいいと思うのですが、そういう主観が存在すると言ってしまったんですねえ。これに関しては、本人も後には動揺してますし、評判もあまりよくなかった発想ですね。

――「超越論的主観性」という言葉でフッサールが考えていたのは、個人、ひとりひとりの主観でしょうか。それとも、個々人を超えて全世界を包み込むような主体、いわば絶対精神のような、世界とイコールであるような主観でしょうか。

難しいですねえ。個別だけれども、どの個人にも普遍的に共通しているような、主観性の核があると考える。どの個人にも内在している、しかも共通に持たれている、したがって、全体として何か神のような存在にも見えてくる、そういうものだろうと思いますね。

一九三八年にフッサールは亡くなってしまうのですが、その直前に、あとで話に出てくるアルフレッド・シュッツ*という人がフッサールの病床を訪れています。シュッツが後日回想しているのですが、そのときにフッサールは病床で、シュッツに向かって、「私の現世的な主観性はここで滅びてしまうが、超越論的主観性は不滅である」と、どこかの野球選手みたいなことを言ったそうです。

これはどういう意味なのか。なかなか考えさせられてしまいますね。ヘーゲル的な絶対精神のようなものを考えていたとは思いませんし、現象学者の多くは、そんなことはないと言うでしょう。これは、非常に微妙なところです。しかし、人びとに共通で普遍的な主観性の仕組みを考えていたことは確かです。

「超越論的」という言葉

ただし、もうひとつ注意しておきたいのは、超越論的主観性というときの、この「超越論的」という言葉です。「トランスツェンデンタール」というドイツ語の訳語ですが、これは

＊Alfred Schutz（1899-1959）：詳しくは本文を参照。著書は、『社会的世界の意味構成』（木鐸社）、『社会理論の構成』（木鐸社、パーソンズとの共著の形）、『シュッツ著作集』（全四巻、マルジュ社）、『生活世界の構成』（マルジュ社）などがある。

「超越的」（トランスツェンデント）という言葉とは異なります。「超越的」というのは、神の存在のように、この世を超えているという意味ですね。「超越論的」というのは、例えばカントのように、「われわれの認識はいかにして可能であるか」というように認識それ自体の根拠を探っていくときに使う言葉です。神や超越者とは直接には関係がない。それは、生まれ出づる最初の現場までたどり直そうということです。フッサールは、後期の著作のなかで超越論的という言葉を「始原にまでたどり直す思考を指す言葉である」と言っています。始原（始元とも書く）、起源、出発点、発生の場、そこまで立ち戻るというのを「超越論的」と考えていいと思います。

――「超越論的」とは、いわば「無茶を承知で、元をたどってみると」ということですね。

そういうことですね。ただし、本人は「無茶」だなんて思ってないですよ（笑）。それが哲学の仕事だ、理性を徹底的に駆使して、行けるところまで行くんだと思っていたでしょう。

――フッサールという人は、最初の印象では主観主義者なのですが、こうして話を聞いてくると、超科学主義的、超客観主義的に主観を考察した人、という感じがしてきますね。

ヘーゲルとの関係

――フッサールはヘーゲルの『精神現象学』を知らなかったという噂があります。『精神現象学』を知らないまま、自分の哲学を「現象学」と名づけたのだと。

まあ、存在は知っていたでしょうし、部分的には読んでもいたでしょう。ただ、それを研究していたとは言えないと思いますね。

――理論としては、ヘーゲルとフッサールは続いていない。完全に切れていると考えていいですか。

直接的な系譜関係はあまりないでしょう。ただ、フッサールのまわりにヘーゲル研究者がいたとか、あるいはヘーゲルを継承している人たちと論争的に関わったりとか、そういうつながりはあったと思いますよ。ふたりのいずれにも見られるのですが、主客の二元論批判という側面では重なり合うといった議論も可能でしょうし。

でも、そもそもね、フッサールは数学から出発したんですよ。体系的に哲学史を学んだり、先行する哲学者を徹底的に分析するといったことから哲学を始めたのではありません。数学者の素質のあったフッサールが、ひたすら原理を求めていくうちに、彼の思索力で現象学を展開していったのだと思うんですね。

余談ですが、フッサールは速記で自分の考えを書いていました。われわれ漢字使用圏の人間から見るとドイツ語はもともと速く書ける言語であるように思うけれども、それでも遅いと感じたのでしょう、フッサールは速記で膨大なノートを作っています。フッサールには、そうやって自分の考えをとことん追求していく迫力がありますね。ちなみに、そのノートの多くが保存されていて、没後に整理されて活字になり、今日まで刊行され続けています。

ベルクソンとの関係

――話を聞いていると、ベルクソン*との関係はどうだったのかなぁと気になってくるのですが。

ベルクソンは、当時フランスの超売れっ子哲学者でした。ふたりのあいだに十分な交流があったとは言えません。後からみればベルクソンとフッサールが重なっている部分はかなりありますが、やはりフッサールは、ベルクソンも含めて同時代の流行思想には目もくれない、徹底的に自らの思索を深めていくというスタンスなんですね。

さきほど少し話に出てきたアルフレッド・シュッツは、実は最初は本格的にベルクソンの勉強をしたんです。時計で測られる客観的時間ではなく、好きなことをしているときはすぐ時間が経ってしまうとか、いやなときは長く感じられるような主観的時間とかの時間論や、没入しているときの意識の「持続」といった考え方などに影響を受けています。流行思想でもありましたからね。その後あらためてフッサールを読んでみたら、ベルクソンと同じことを言ってると気づいて、フッサールにはまっていくわけです。

――うーん、現象学という名称からしてヘーゲルに学んでいるように見えるが、実は関係がない。内容からしてベルクソンに通じるものがあるんだけれども、実はあまり関心を持っていない。フッサールという人は、ひとりで座禅を組んで自分の思索を深めていく、孤高の哲学者ですね。

そういう感じですね。文字通り、禅ともかかわる西田哲学の西田幾多郎**と同じようなところが多分にありますね（笑）。

第二の文脈・危機認識

一九〇〇年から一九一〇年代ぐらいまでの話をしてきましたが、もう少し後、一九三〇年代になると、ヒットラーが政権の座について、ナチスドイツが成立し、ユダヤ人の排斥などが盛んにおこなわれるようになります。そのころにはフッサールはそれなりに著名な哲学者として知られていましたが、ユダヤ系でしたからたいへん住み難い状態になってしまいまし

＊Henri Bergson（1859-1941）：フランスの哲学者。物理的・空間的時間概念を批判し、生の創造的活動を説いた。著書として『物質と記憶』『道徳と宗教の二源泉』（ともに岩波文庫）などがある。
＊＊にしだ・きたろう（1870-1945）：石川県生まれ。京大教授。生の哲学やドイツ観念論哲学と禅の立場とを統合し、「行為的直観」「無」「場所的論理」などの独自の境地を切り開いた。『善の研究』（岩波文庫）が有名。

た。フッサールは、この時代に深く傷つけられることになります。

何よりも大きな傷となったのは、自分の教え子であり、共同研究もし、将来を有望視していた、弟子のハイデガー（後述参照）のことです。ハイデガーは、どんどん頭角を現して、フライブルク大学の総長にまでなって、ナチスを賛美する演説までする。その上、師匠であるフッサールに対する研究室の使用禁止、図書館の立ち入り禁止などの措置まで認めてしまう。研究者にとっては致命的な措置が、期待していたお弟子さんによってなされたということは、フッサールにとって大ショックだったろうと思います。

そんな事件もあって、これはたいへんな時代になってしまったという認識をフッサールは持つ。よくフッサールは社会科学オンチだと言われます。実際、社会的、政治的、経済的なことは、ほとんど発言していません。ひたすら哲学に打ち込み、意識経験を探っている。しかし、このときばかりは違います。今は危機の時代であるという認識のもとで、フッサールは思索します。それをぼくは「危機認識の文脈」と呼んでいます。

われわれは危機の時代に陥ってしまった。こんなに科学や学問が発達した二十世紀、とりわけその科学や学問の一翼を担ってきたこのドイツで、なぜ差別、迫害、虐殺といった野蛮なことがおこなわれるのだろうか。なぜ、ここまで文明化し進歩したところで、逆に退化し野蛮なことがおこなわれてしまったのか。どこかでボタンの掛け違い、あるいはスイッチの入れまちがいがあったのではないか。どこかで誤った歴史をわれわれは持ってしまったんではないか。そういう危機意識を持つようになったわけです。

そのことを彼は一九三〇年代のなかばごろ、ドイツ以外の地で、例えばプラハなどに行って、講演したりして表明しています。それが後に『ヨーロッパ諸学の危機と超越論的現象学』という本になって現れてきます。ナチズムの危機に直面して科学や学問の意味を問い直すという大きな問題意識、文脈が前面に出てくるわけです。

第一の文脈と第二の文脈の関係

――最初の「意識経験を考える」という仕事が一段落してから、新しい仕事に移ったのでしょうか。それとも、最初の仕事は完結していないけれども、状況が状況なので、もうそういう研究なんてやっていられなくなってしまった。それで、移って行かざるをえなかったのでしょうか。

それは両方あっただろうと思いますね。第一の文脈、一九一〇年代までのいわば主観主義的な立場を、一九二〇年代には、みずから問い直すようになっていました。現象学を追究するうちに、主観主義的な立場は再検討を余儀なくされていたんです。その論点と危機意識が重なる形で、第二の文脈が形成されていったんだろうと思いますね。

――それはたまたま一致したんでしょうか。それとも「土台―上部構造論的に」とでも言いますか、危機的社会状況があって危機認識が生じた、それに触発されて最初に自分が立てた主観主義的な姿勢を見直すようになった、ということでしょうか。

いやあ、いい質問ですねえ。ポレミックというか、論争があってもよさそうな話ですねえ。みずからが自明視していることも問い直す、つねに反省する、それが第一の文脈なわけですから、その文脈のなかでやってきたことが、必然的に第二の文脈につながっていったのかどうか。

なかなか難しい問題ですが、やはり第二の文脈が出てくるにあたっては、ある種の偶然もあった、と思いますね。ここまで言っていいのかどうかわかりませんが、フッサールがユダヤ系でなかったらどうだっただろうか……。やはり彼にはどうしようもない、自分の思索力を超える存在のあり方のような、ある種の偶然も働いていた、そういう意味では、たまたまだったと言えるかもしれません。

——孤高の哲学者フッサールも、社会の激変に直面して、それに促されるようにして、新しいことを考えるようになった。

危機意識を持ち、科学、学問の意味を問い直していくなかで、なんでこんなにおかしなことになってしまったのかという、いわばボタンの掛け違い、出発点の誤りみたいなものを考えていったら、それは、学問や科学の出発点のあり方が問題だったんじゃないか。そう考えるようになって、学問批判や科学批判が彼の前面に出てくるわけです。その点に関して、フッサールは、さきほども社会学のときに話題になった実証主義についても、「実証主義は哲学の頭を切り落としてしまった」とも言っていますし、「ガリレオによる自然の数学化」、それが大きな躓きのもとだと言っています。

――「それでも地球は回っている」とつぶやいたというガリレオが、一九三〇年代の危機的状況の源であると。

ガリレオはいろんな法則を発見した、自然のなかに書き込まれている数学言語を読み取った「発見の天才」であった。けれども、同時に「隠蔽の天才」「隠す天才」でもあったと言うんです。では、ガリレオは、何を隠したのか。フッサールが言うには、ガリレオ的発想、つまり科学が、「生活世界」を隠蔽してしまったんだと。

生活世界

――「生活世界」とは何でしょう。

ドイツ語でレーベンスヴェルト、英語でライフワールド。近代科学との関係のなかで考えていくとわかりやすい。ドイツ語のヴィッセンシャフトという言葉は、科学、学問、どちらにも訳せる広い概念ですが、ここでは科学、近代科学の方が適切でしょう。

われわれ日常生活を営んでいるものの目から見れば、太陽は東から昇って西に沈む。でも、それは科学的真理ではありませんね。科学的に言えば、地球が自転しているのであって、太陽が東から昇って西に沈むというのは、錯覚にすぎない、誤りだ、ということになる。そうやって、誤りとか曖昧さとか主観的な見方・感じ方を切り捨ててきたのが、近代科学の発展の歴史でした。

しかし、その成果が、こんな野蛮な事態と結びついているのではないのか。つまり、実証科学的には誤りとされることであっても、普通の人にとっては、生きている意味とか人生の意味になっていることはありえる。太陽が東から昇って、西に沈む。それが一日だ。われわれ人間が生きていく際に、意味の源になっているのは「生活世界」である。そういう大切な「生活世界」を排除したり、忘却したりしてきたのが、実証科学、近代科学の進歩の歴史ではないか、とフッサールは考えるわけです。

まず、生活世界がある。それを、自然科学、科学という理念の衣、シンボルの衣で覆って、見えなくしてしまった。フッサールは、そういう隠蔽の代表者としてガリレオの名を挙げているんですね。

——フッサールの生活世界論は「近代科学批判」なんですね。

最初フッサールは、自然的態度を批判した。みんなが無自覚でいるあたりまえの見方に対して、それはダメだよ、それではほんとうのことが見えないよ、と批判した。ところが今度は、自然科学研究に代表されるような「自然主義的態度」が生活世界を見えなくさせている、だから、自然主義的態度を批判しなければいけないと言う。「自然的態度の批判」から「自然主義的態度の批判」へ。われわれの生きられる経験、日々生きている経験を大事にしよう。生きられる経験、生活世界の復権を主張する。これが第二の文脈の大きなテーマです。

――大きな変化ですね。フッサールの立場が一八〇度変わってしまったようです。

山を下りた孤高の哲学者

――フッサールは孤高の哲学者でした。そして、ナチスが台頭してきてフッサールを取り巻く状況が悪くなったときの批判のしかたが、「文明と野蛮」でした。それらを考え合わせると、フッサールって、ずいぶん貴族主義的な人だなと感じます。しかも、今度は「生活世界を大事にしなきゃいかん」と言い出した。高い山の上にひとりこもって研究していた高貴なお方が、ついに山を下りてきたような印象ですね。

当たらずといえども遠からずと言ったらいいでしょうか。やっぱり、フッサールが最後まで譲らなかったのは、みずからの理性への期待だったろうと思うんですね。きちんと思索をして、ヨーロッパの「学問」の伝統をふまえて見ていくことによって、正解は出せるんだと。理性の目的論といわれるものとも関係するんだけれど、そういう考えはあったと思いますね。

——山を下りてきたけれども、なお超俗的な仙人だった。孤高の貴族であり続けたんですね。

第三の文脈・意味生成

現象学は、通常、第一の文脈だけか、第一の文脈と第二の文脈を織り交ぜて語られます。あるいは個々の用語、たとえば生活世界だけが受け入れられたり、「自然的態度の批判から自然主義的態度の批判へと変わった」というふうな図式で捉えられたりします。そういう理解の話を聞くとき、ぼくは少し考え込んでしまうのですね。というのは、実はもうひとつの文脈があると、ぼくは考えているからです。

——それが、第三の「意味生成の文脈」ですね。

そう。この第三の文脈は、かなり後になって気づかれました。というのは、彼は一九三八年に亡くなってしまうのですが、その時期にはもう発言の機会がほとんど封じられていて、出版もおぼつかない状態でした。『ヨーロッパ諸学の危機と超越論的現象学』——『危機書』と呼ばれています——という本があると言いましたが、それも、完全な形で日の目を見たのは、一九五〇年代になってからです。生前には、その一部しか出せませんでした。だから、当時のフッサールは、その時期以前の著作でしか知られていなかったわけです。

おまけに日本の場合、現象学に影響を受けた哲学者、例えば『「いき」の構造』（一九三〇年刊）を書いた九鬼周造も、『風土』（一九三五年刊）を書いた和辻哲郎も、『危機書』全体を知らずに、そこまでのフッサールの著作と『存在と時間』（一九二七年刊）のハイデガーの影響圏で語り、そこで日本の現象学の基本が形成されたという面があります。

ところが、主として三〇年代に、フッサールは膨大な量の速記を残しています。それが保存されていて、一九五〇年代、六〇年代になって、少しずつ出版されていく。そのときになって、「あ、フッサールはこんなことを考えていたのか」と新しい発見がいくつも出てきました。もちろん、同じひとりの哲学者ですから、生前に公刊された本のなかに、そのきっかけや糸口になる部分はありました。けれども、こんなにも深くこの問題を考えていたとは、外部の人は知らなかったのです。

――草稿がきちんと保存されていなかったら、フッサールの思想の第三の文脈は、表には出てこなかったんですね。保存した人も偉かった。

その草稿は、教え子でもあったヴァン・ブレダ神父が、ドイツからひそかに持ち出して、ベルギーのルーヴァンで保管していました。それが「フッサール文庫」の始まりです。その草稿の研究は、今も進められています。そして、『フッセリアーナ』というタイトルのフッサール全集の刊行が今日まで続いています。

――その過程で、第三の文脈がいっそう明らかになってきたんですね。

間主観性

第二の文脈のキーワードは「生活世界」でしたが、第三の文脈のキーワードは「間主観性」、インターサブジェクティビティです。相互主観性とも、共同主観性とも訳されていま す。ぼくは、「あいだ」という意味合いを意識して間主観性と訳すようにしていますが、簡潔に言うと三つの水準の間主観性があると考えています。

(1)ひとつは、ハーバーマスを含め社会学者はこういう水準で語りがちですが、主体性を持ち自覚した主体が他の主体と共に、間主観的に合意していわば主体間で新たな社会を構想し構築していくような水準。ぼくは、「学知的間主観性」なんて呼んだりしています。しかしこれは、フッサールの間主観性の原義からは離れていると思います。

(2)そこで、二つ目ですが、もともと間主観性はもっと原基的なレベルで考えられていたんです。つまり、さっき生活世界のことに言及しましたね。科学 vs. 生活世界のコンテクストです。生活世界において人びとは、科学的に思考するというよりも、自然的態度のうちで母語を用いながら他者と協働しつつ日常世界を実践的に生きている。ここでのポイントは、他者との間柄を重視しながら共同的な生活を営むという意味での、日常的な間主観的事態にあります。ぼくらは、生きていくために他者と関係を取り結んでいる、その関係性が日常的な間主観性の次元です。つまり「日常的間主観性」の水準。そうした日常的な間主観的―間主体的な関係が科学を生み出す基底である、それを忘れてはいけないとフッサールは強調していたわけです。科学を基礎づける基盤のレベルにある間主観性です。

（3）しかし、「基礎づけ」という意味では、さらに問いを、さきほどの言葉で言えば「超越論的」に問題にしていくことができる。日常的な間主観的事態は、どのようにして成り立ってきて、どのようにして今あるような形に生成してきたのか、という問いです。それが、三つ目の間主観性の水準で、「身体的間主観性」（ないしは間身体性）と呼ぶことができます。この点が第三の文脈の焦点です。

始原への問い

さきほど話したように、最後の間主観性についての考察は、フッサールの生前には外部の人にはあまり気づかれていませんでした。もちろん、予兆となるような議論はありましたよ。今述べてきたような議論の道筋、つまり意味基底としての生活世界とか、始原までたどり直そうという姿勢、そして「発生」「生成」という視点を明確に持っていたとかね。つまり、今あるようになったのは、どこから出発してこんな風になったのか、そのゲネシス、発生、プロセスをたどり直して検討するということが、三つ目の間主観性論の水準なんですね。

そういう意味での間主観性がキーワードになってくると、フッサールはさらに受動的間主観性だとか、母子関係なんてことまで言い始める。つまり、主観性とは何か、意識とは何か、その構造と機能は何かと考えてきたフッサールですが、ここでは、さらに、その主観性や意識ができあがってくる始原、そういう仕組みができてきた発生論的な関係性にまでたどり直そうとしているわけです。

どんどん主観性・主体性の問題を掘り下げて行ったら、最終的には母子関係という社会関係までたどり直そうということになった。それは、幼児本人にとって、積極的に能動的に主観を働かせるということになった。高次な主観が生まれてくるプロセスを問題にするスではない。それは、まだ当人には十分な主観性ができていないのだから、ある意味で受動的・身体的に、関係のなかから十全な主観性が作り上げられていくプロセスです。主観とは、自分ひとりで生まれてくるものではなくて、他者との関係のなかで「間身体的」な場で生じてくるものなんですね。こうしてはっきりと「他者」が射程に入ってきたわけです。

身体

その主観の生成プロセスは、いきなり言語をもって始まるはずはありませんから、言語獲得以前の感情の働き、衝動や情動などの言語以前の社会関係を支える基盤が問題になってきます。では、そういう理性以前の感情はどこにあるのかと言えば、それは身体にあるわけですね。脳に集約される理性ではなくて、皮膚、視覚、聴覚などといった、身体全域にわたる知覚能力にまで話が広がっていく。

フッサールは理性の人だと言ったけれども、その理性や主観を働かせる前提として、ここで他者や身体という問題も捉え始めていた。草稿を見ると、フッサールがそうした点を考えていたことがよくわかる。

ナチズムの問題が起きて、「科学vs.生活世界」という大きなテーマが生じました。フッサールはそれを優先させることにしたけれども、その底では「意味生成の文脈」あるいは「発生的現象学」と呼ばれる現象学の流れが脈打っていたわけですね。

——フッサールが間主観性を考えていたのは、主に一九二〇年代から亡くなるまで。危機認識の時代と同じ時期なのですね。表向きの発言は主として危機認識の文脈を語っていたように見えるけれども、しかし行間を探ったり当時の草稿を読んだりしてみると、意味生成、間主観性、母子関係などについても深く考えていたことがわかった……。それらとさきほどの第二の文脈の内容とは、密接にリンクしているものなのでしょうか。それとも、それはそれとして、二本立てで別のことを考えていたことになるのでしょうか。

密接にリンクしていると思います。母子関係というのは、言ってみれば、生活世界のひとつの社会関係ですよね。

——それでは、母子関係に始まる間主観性の問題を無視しては、生活世界という概念の理解自体も怪しくなってきますね。

まったくそのとおりです。(Lebenswelt = Lifeworld の)「レーベン」や「ライフ」という語を生活と訳して「生活世界」と言っているわけですが、それらの語には「生命」とか「生体」とか「生存」の「生」の意味もあるのですから、むしろ「生世界」と訳すほうがフッサールの意図に近いのではないかと思っています。残念ながら、多くの社会学者が用いる「生活世界」では、この面が完全に無視されてしまっています。

3　現象学の後継者たち

サルトル・後継者1

――フッサールの思想には、三つの文脈があるというお話でしたが、現象学の後継者たちは、どの文脈に影響を受けているのでしょうか。

それを話し出すと非常にたくさんの登場人物が出てきて大混乱します（笑）。ですから、ここでは三人だけ挙げておきましょう。その三人は、今話してきた現象学の三つの文脈、それぞれに対応しています。彼らは、もちろんフッサールに対する批判も口にしていますが、基本的には受け継いでいる人たちです。

まず、第一の「意識経験の文脈」、主観主義的な側面を受け継いだのはサルトル*です。サルトルの関心の中心は、自分の主観的な世界、あるいは、自己の主体性の問題です。

ドアの鍵穴から部屋をのぞき見したら、そこに他者の目があり、驚き、その他者の目に囚《とら》われて主体が固まって（石化して）しまうような、自他のまなざしの相克といった事態は、ひとつのグロテスクな例ですね。他者という主体に囚われないで、いかに自己の主体的・実存的な生を生きるかというのが、サルトルのモチーフになっている。みずからを投企し、主体性を求めた実存主義は、初期マルクスの疎外論とともに、一九六〇年代の一種の流行思想だったわけです。

ちなみに、この主観性と主体性は、日本語では区別するけれども、原語ではどちらもズブイェクティビテート（英語ではサブジェクティビティ）というひとつの語です。

ハイデガー・後継者2

第二の「危機認識の文脈」を受け継いだのはハイデガー**です。さきほど危機認識の文脈の話をしたときには、フッサールとハイデガーは対立しているように聞こえたと思いますが、それまでのふたりの思索の内容は共通でした。少なくとも、ある時期までは共有していました。

ふたりは、『ブリタニカ』という百科事典のなかの「現象学」という項目をいっしょに書こうとしていたほど信頼しあっていました。それを「ブリタニカ草稿」というのですが、ただ、そのあたりからふたりの現象学観の違いがはっきりする。一九二七年にハイデガーは、死への根本的不安を前に先駆的決意をし、「〜のため」というつながり（道具連関）を自覚してまわりにも気遣い、配慮しつつ頽落《たいらく》状態から抜け出るような、本来的な実存的生を求めるといったモチーフからなる『存在と時間』という大きな本を書き、それを解釈学と称して、その重要性を主張しました。だが、その本に関してもフッサールは批判的な見方をしています。そのころにはもう、ふたりは別々の道を歩み出していたんですね。

もちろんハイデガー自身も、フッサール同様に、「時代がおかしい、どうにかしなければいけない」、あるいは、「近代とか文明とは何だろう」などと考えていました。

ただ、ナチズムの受け止め方は、フッサールと異なっていたんです。というより、正反対でした。ハイデガーはナチズムが出てきたから危機意識を持ったというのではなく、むしろナチズムに共感することで時代の危機を乗り越えていこうとしたんです。ハイデガーは、資本主義のいわばお金中心の世界、精神を失った物質文明、精神を忘れている時代にあって、一般大衆に紛れてしまっている人間のあり方を、頽廃的（退廃的）で堕落したあり方、つまり「頽落」として批判します。その解決策として、結果的にナチズムにエールを送るような行動に出たんですね。

＊Jean-Paul Sartre（1905-1980）：フランスの哲学者、文学者。ナチスドイツへのレジスタンス運動に参加し、戦後は雑誌『現代』で活躍。一時期はマルクス主義にも近づくが、実存主義の積極的な提唱者として著名。著書は、『存在と無』『弁証法的理性批判』など、小説では『嘔吐』『自由への道』などがある（いずれも人文書院）。
＊＊Martin Heidegger（1889-1976）：ドイツの哲学者。時間論・実存分析が着目された。戦後も後期ハイデガーと称される優れた思索をおこなうが、ナチズムとの関係にはまったく言及せず、そのことが問題だとする人もいる。著書は、『存在と時間』『形而上学とは何か』（ともに岩波文庫ほか）など。

メルロ＝ポンティ・後継者3

そして、第三の「意味生成の文脈」を引き継いだのが、メルロ＝ポンティ*です。実は、メルロ＝ポンティは、自分の目でフッサールの草稿を見ています。ハイデガーの場合は、ある時期までフッサールと直接いろいろな話をしていましたが、それでも、関心がそれて、フッサールの草稿全体を検討する位置にはいなかったと言っていいでしょう。

ヴァン・ブレダ神父が持ち出した草稿がベルギーのルーヴァンにあるというので、若いメルロ＝ポンティはその研究のために、ルーヴァンに赴き、草稿を丹念に見ました。そのおかげでメルロ＝ポンティは、今までのフッサール像とは違うフッサール像を描き出すことができました。フッサールは主観性を強調したと言われるけれども、草稿のなかに「私の言っている主観性というのは間主観性のことなのだ」という趣旨の一文を見つけたというわけです。ただし、現在の研究では、そんな一文はどこにもないらしいのですが（笑）。

メルロ＝ポンティは、発達心理学の知見を積極的に取り入れて、間主観性、他者、さらに身体などを真正面から取り上げて検討しました。それが『知覚の現象学』のなかに活かされ、晩年の『見えるものと見えないもの』という著作に至るまで続きます。ですから、第三の「意味生成の文脈」、あるいは発生的現象学を受け継いだのは、メルロ＝ポンティなわけです。

――メルロ＝ポンティはいつごろから現象学に関心を持ち、いつごろ草稿を見に行ったのでしょうか。

二〇年代の終わりにフッサールのパリ講演を聴いていますが、関心を強く持ち出したのは一九三〇年代だと思います。フッサールが亡くなった一九三八年、国際哲学雑誌でフッサール特集が組まれました。そのころには大いに関心をもっていたことはまちがいありません。実際にメルロ＝ポンティがルーヴァンに草稿を見に行ったのは、一九三九年です。一九四二年に最初の著作、『行動の構造』という本が出ているのですが、このときには、まだ十分にその成果は反映されていません。一九四五年に出た、主著と言われる『知覚の現象学』では、基本的にはもうこの第三の文脈が取り入れられていて、身体の問題や他者の問題が語られています。

ちなみに、一九四二年にはルーヴァンにも戦争の火の手が迫っていたので、草稿の一部をフランスに移すことになりました。その作業には、メルロ＝ポンティも協力しています。

――メルロ＝ポンティよりも早く、あるいは同時期、ルーヴァンに草稿を見に行った人はいるのですか。

たぶんたくさんいるんでしょうけども、記憶に残るほどではありませんね。ぼくも行って

＊Maurice Merleau-Ponty（1908-1961）：フランスの哲学者。知覚の現象学や身体の現象学の提唱者として著名。コレージュ・ド・フランスで教鞭をとる。著書は、本文で言及するもの以外に、『行動の構造』『弁証法の冒険』『ヒューマニズムとテロル』『眼と精神』『シーニュ』（いずれも、みすず書房）などがある。

ますが、記憶に残らないでしょ。あ、これ記録しなくていいよ（笑）。

身体性

――メルロ＝ポンティの現象学について、もう少し話してください。まず、身体の問題とはどのようなものでしょう。

メルロ＝ポンティは、身体の伸縮であるとか、主客の反転であるとかの例も出しながら、身体性に着目します。みずからが生きて感じている主観身体と、それを医学のように外部から客観的に見て人体、物体として捉える客観身体とがあると言う。あるいは両者の区別と連関をはっきりさせようとする。そうして、やっぱりデカルト以来の主客二元論や心身二元論を超える道をなんとか探し出そうとしているんですね。

彼は、他者の問題を考えるときに、「他者の存在というのは、客観的思考にとっては難問で憤懣の種である」と言います。つまり、客観的思考は、まず主観と客観を二元論的に分ける。そう分けた上で、他者理解を考える。そして、自分のことはわかるが、他者のことはわからないと嘆く。そうした客観的思考あるいは理性的思考を超える回路を、メルロ＝ポンティは身体に見出していこうとしたんです。

右手で左手をつかむと、つかんでいる右手が主体で、つかまれている左手が客体である。しかし、客体だとされているつかまれた左手を主体だと考えれば、客体である右手によってつかまれているという主客の反転がある。また、合掌のように、どちらが主客とは言えないような、合一《ごういつ》する状態もある。これらは、明らかに二元論を克服しようとする簡潔な例ですね。

間身体性

他者の問題にしても、同様に考えられると、ぼくは思っています。二元論的に自己と他者を分けてしまうから、他者問題とか、他者をどう理解するかという問題が解けなくなってしまう。自分の心は自分だけが知っている。他者は知りえない。つまり、他者の心はわからない、って。

でも、最初は自他が明確に分けられるようなものじゃないんだ、むしろ一体のものなんだ、それがある時期から分けられてきたんだと考えることによって、二元論の隘路《あいろ》、アポリア、難題を避ける回路が開かれるのではないでしょうか。

発達心理学者のピアジェ*とワロン**の対立の話があります。ピアジェは、人間は最初、自己中心的だが、だんだん脱中心化して社会性を獲得していくのだと言います。自己中心性から

＊Jean Piaget（1896-1980）：スイスの発達心理学者。子どもの知能の発達段階論で有名。著書は、『知能の誕生』（ミネルヴァ書房）、『思考の心理学』（みすず書房）など。

＊＊Henri Wallon（1879-1962）：フランスの心理学者。コレージュ・ド・フランス教授。読みやすい編訳書に、『身体・自我・社会』（ミネルヴァ書房）がある。

脱中心化、社会性へと進むんですね。

これに対してワロンは真っ向から反対します。それは、まったく発想が逆だと。人間は、最初は社会性があり、つながりがある。それが、自己意識とかルールとかを教え込まれることによって、自己や個性を意識するようになり、自己中心的になっていく。

はじめに人は自己意識を持たない人称以前の存在であると考えるメルロ＝ポンティは、当然、ワロンのような発想をするわけです。別の言葉を使うと、人称以前のいわば前交通、プレコミュニケーション、あるいは癒合《ゆごう》的社会性があるとメルロ＝ポンティは考える。われわれが意識的に社会的なつながりを考える以前に、身体的、前人称的に、あるいは前反省的、前述語的にと言ってもいいですが、他者とのつながりがあるということをメルロ＝ポンティは説いていた。それが、少なくともメルロ＝ポンティの間身体性という考え方だと思うんですね。

そして、これこそフッサールの間主観性論、母子関係論、あるいは受動的間主観性論のメルロ＝ポンティによる新展開だと思うわけです。あるところで、彼ははっきりと身体的間主観性という言い方をしています。明らかに第三の文脈を受け継いでいます。

メルロ＝ポンティは、デカルトの本を読みながら、机に突っ伏すようにして死を迎えました。そのとき、書きかけの原稿があって、後に『見えるものと見えないもの』という形で出版されるのですが、そのなかには「間動物性」っていう言い方まであるのです。

身体は、結局は、人間も動物も共有しているいわば肉のかたまりのようなものですよね。もちろん、肉といっても肉屋さんで売っている肉ではなく（笑）、生ける主観身体を構成しているものとしての肉です。それは、主観身体のひとつのメタファーとしての意義をもつ身体の核心と言えるかもしれない。そういう肉どうしの、あるいは主観としての身体どうしのつながりがある。それを彼は、「間動物性」や「肉の存在論」という言い方で問題にしようとしていたんでしょう。それをどう解釈するかというのはもう少し複雑ではありますが。

音響的存在

メルロ＝ポンティのユニークな点をもうひとつ、これは後にシュッツとも関係してくるので、ここで話をしておきましょう。

メルロ＝ポンティは絵画が好きで、セザンヌ論なんて書いたりしていましたが、さきの遺稿のなかでは、人間は「音響的存在」であるとも言っているのです。この音響的存在という言葉は、肉の存在論、間動物性とともにメルロ＝ポンティの間身体性論の核心を示唆する用語だと思っています。

ただ残念ながら、そのメルロ＝ポンティの考え方は、サルトルやハイデガーほどには流行《はや》らなかった。とりわけ、現象学的社会学のなかではほとんど末席に追いやられている。それを復権させたいというのが、ぼくの現象学的社会学のひとつの狙いです。

どの文脈が本流か

——フッサールが仕事の成果をちゃんと発表できたのは一九三〇年代初めまで。それ以降は膨大な草稿あるいはメモを残すだけだった。そして、それを読んだのはメルロ＝ポンティだけだったとしたら、フッサールの後継者はメルロ＝ポンティだということになりますね。

後期フッサールの発生的現象学を受け継いだのはメルロ＝ポンティである、というのは紛れもない学説史的な事実です。しかし、メルロ＝ポンティこそがフッサールの真の後継者であると認めるかどうかは、どの文脈に現象学の可能性を見るかによります。メルロ＝ポンティは、「還元の最も偉大な教訓とは、完全な還元など不可能だ」と教えてくれたことだとさえ言ったりしているんです。

現象学の出発点は主観性の探究にある、その後の展開はバリエーションに過ぎないと考える人にとっては、サルトルやハイデガーこそがフッサールの仕事を掘り下げた後継者であると思っているかもしれません。

近代の超克

——主客二元論を乗り越えるという話がありましたが、フッサールやメルロ＝ポンティには、近代批判という問題意識があったのでしょうか。

それは今話題になった現象学者みんなにありました。フッサールで言えば、危機認識の文脈をみると、あからさまに近代批判でしょう。近代科学は生活世界を忘却してきた、意味問題を喪失している、近代は誤った道を歩んできたというわけですから。「ガリレオによる自然の数学化」という言葉で近代科学を批判している。その問題意識を共有しながらナチズムに肩入れしていったハイデガーは、解釈学を徹底して近代批判、文明批判を貫きました。失われたかつての大いなる故郷、夢想していた共同体的な故郷、そういうハイマート、ハイム＝ホームに戻りたいというのがハイデガーのモチーフでしたからね。

メルロ＝ポンティの初期からの一貫した問題意識は、主知主義と経験論への批判です。主知主義というのは、主観中心に、すべて私が知って認識していくものだという考え方。経験論というのは、認識対象の反映論ないし模写説のように、客観的なものをわれわれがなぞるように精確に捉えていくという近代科学的な発想のこと。この主客の分離、二元論を批判するというのがメルロ＝ポンティの根底的なモチーフです。これも徹底的な近代批判ですね。

つまり、現象学全体が、構造主義やポスト構造主義と同じく近代批判の潮流のひとつなのです。

——現象学は近代批判であると。しかし、あくまで学問のなかでの学問批判のような印象を受けるのです。フッサールは普通の人びとの普通のものの見方（自然的態度）を批判して、ものごとのありのままを見ようじゃないかと山の頂めざして登っていった。孤高の人、山の上の禅僧フッサールってイメージです。ところが、生活世界を見なきゃだめだというので、山の頂にいたフッサールが、どんどん山から下りてきて「生活世界」「間主観性」の重要性を説き、メルロ＝ポンティに至っては「間動物性」を口にするまでになった。それは学問の世界の内部においては革命的なことかもしれませんが、普通に町なかで暮らしているおじちゃん、おばちゃんに話せば、「そんなこと、あたりまえじゃないか」と言われそうな気がします。

それはほんとうに考えなければならない問題ですよね。「生活世界の復権」などと偉そうに言われても、生活世界を生きているのはわれわれ生活者なわけでね。あたりまえに生きている人にとっては、きわめてあたりまえのことなわけです。紆《う》余曲折を経たあげく、結局そこへ戻ってくるのかい、という話です。そういう意味では、学問批判、近代批判というものは、実はあたりまえのことを難しく言ってるだけではないかっていう苦言はあるだろうと思いますね。

ここが最初の問題、社会学って何だろうという問いにもつながっていくところです。あたりまえのことをあたりまえに書いていても何の発見もない。だから、数字で表すんだ、あたりまえじゃないような知見を出すんだ、それが社会学のおもしろさなんだという主張が出てくる。それはそれでおもしろいと思うんだけれど、ぼくとしては、学問というのはそういうものだと単純に言えるかどうかは疑問なんですね。

われわれの生き方とか、社会のあり方とか、そんなのは普通の人びとや政治家が考えることであって、社会学はもっと別のところで客観的な何かを示すんだというふうに考えるのか。いやいや、学問はわれわれの生き方、人生、社会と密接に関わっているんだと考えるのか。そういう問題ともつながってきます。もちろん、ぼくは後者のスタンスですが。

他者の問題

――ともあれ、現象学は山を下りて、人びとが生きている世界に関心を持つようになりました。


そこで触れておかなければならないのは「他者」の問題です。

メルロ＝ポンティは身体や他者を大きなテーマとしたわけですが、他者の問題に関してはフッサール自身もだいぶ苦労して、格闘してるんですね。それは、彼の『デカルト的省察』という本のなかで試みられています。自分の認識世界のことは細かく論じて、突っ込んだ議論をしているけれども、じゃ、他者が考えていること、他者の心はどうやって捉えられるのか、他者理解はいかにして可能かという大きな問題が残るわけですね。

フッサールは、『デカルト的省察』の「第五省察」のなかで、ひとつの答えを出しています。考えている自分がいる。これは確固たる自明の出発点というか、その意味でデカルト的出発点なわけです。しかし、その考えている自分は身体を持っている、あるいは身体である。自分の思いはなかなか外へ現れないけれども、身体は他者に見える。そこで、他者理解はいかにして可能かと考えてみると、他者も自分と同型の身体を持っているじゃないかと。同じように手を動かし、くしゃみをし、涙を流す。そういう身体があるのであれば、同じ身体なのだから、そのなかに自分と同じ心や意識があると考えるのが、きわめて当然ではないか。これでフッサールは証明できたと思ったわけです。

これは、たいへん評判が悪くてね。いろんな人から批判を受ける。それは自己を投影するような形の自己移入論だと言われているけど、相手が人間のかっこうをした精巧なロボットだったらどうなるのか、同じ身体をしていても意識はないじゃないか、とかね。フッサール本人も、いや、あれは、論理的思考を進めていくときの、ひとつの教育的な手段として語ったに過ぎないんだと言ったとか。それほど、他者の問題は、現象学の出発の時点では難問だったんですね。

それに対してメルロ＝ポンティは、いやいや、それは、最初から孤立した独我論的な意識みたいなものを考えるから難問になるのだ、と言うわけです。身体のレベルで、いわば自己と他者とが融合しているような段階を考えていけば、それは解けるはずだ、と。

この発想にも、いろいろな問題があります。ナチズム、サッカーの試合のスタンド、デモのような、人びとが個人の意識を超えて大きな集団のなかで一体となっているような、自他未分でファナティックな、熱狂的な集合状態、これを正当化するような議論だったりすると、とても危なくなりますね。

レヴィナス

そういう危うさをメルロ＝ポンティは持っていました。その問題は、もちろんメルロ＝ポンティ自身もそれ以外の人も気づいてはいましたが、とくに正面から批判的に論じるような形になったのが、レヴィナス*でした。

レヴィナスの場合は、メルロ＝ポンティのように自他未分の状態から出発するのではなく、他者は絶対的に他者である。他性、異他性、他なるものがあるからこそ、同一性、一体化ということも可能になってくる、最初から他がなくてなんで一体化が可能なの、といった議論をします。絶対的他者、どうしても自分ではありえない他なるものというものをきちんと考えるべきだ、そうレヴィナスは強調したわけですね。

ここでは、その議論の妥当性や射程、影響力まで話す余裕はありませんが、少なくとも社会関係を論じる社会学にあっては、レヴィナスが語るような他者の問題は大問題です。とくに、グローバル化が進んで、外国人との関わりも多くなっているのですから、なおさらです。レヴィナス、また今ここでは触れる余裕がありませんがデリダなども、広い意味で、社会学にとっても重要な仕事をした現象学者だったと言えるでしょう。

＊Emmanuel Levinas（1906-1995）：リトアニア生まれ。フッサール論で学位をとる。その後、ユダヤ教を講じる哲学者として活躍。ハイデガーの影響も強い。著書に『時間と他者』（法政大学出版局）、『実存から実存者へ』（講談社学術文庫）、『全体性と無限』（岩波文庫）などがある。

――レヴィナスは一九〇六年生まれですから、実は、けっこう古い人ですよね。レヴィナスより少し遅く生まれたメルロ＝ポンティは、六〇年代終わりから七〇年代にブームになりました。ところが、レヴィナスのブームは八〇年代から九〇年代です。このズレというのは何なんでしょうか。

フッサール以降の流れのなかで自己と他者の関係を論じる場合、同一性から差異性へと注目する点が変化してきた。多分に、近代の同一性思考からポスト近代の差異性思考へ、というモチーフもあったでしょう。くわえて、グローバル化のなかで「他者」が問われ始めたことも大きいと思われます。それらの流れがあったからだろうと思います。あとね、レヴィナスは長生きなんですよ。

――レヴィナスは、早死にしてたら消えていたかもしれない。

早死にしてたら、今のような形で、他者性とか絶対的他者とかが評価されるチャンスはなかったでしょうからね。まあ、きっかけを作った人としては評価されるでしょうが、全面的に展開した人とは思われなかったかもしれません。

似たような例では、文明化を論じたノルベルト・エリアス*っていう社会学者がいます。一八九七年生まれで、「文明化の過程」を論じた著作の出版が一九三九年。

——戦前の社会学者ですね。

しかし、晩年の一九八〇年代にも発言をしており、九〇年代に入って日本でも大いに注目されました。九〇歳ぐらいまで長生きして活動を続けているとトクだな〜と。フフフ。

——早死にしたら、負けだな〜と。

そういうところは、ありますねえ。

ヘーゲル型とフッサール型

——フッサールから始まった現象学は、その系譜にさまざまな現代思想家の名を連ねていくのですね。ところで、大思想家には、ヘーゲル型とフッサール型があると思うんです。ヘーゲル研究者やヘーゲル主義者ってのは、何をどうあがいても、ヘーゲルが大きく手を広げた、そのうちのどこか一部分を深めるような仕事をするしかない。何をやっても、ヘーゲルが元々言っていたことの一部だなって感じさせる。しかし、フッサールの場合は「種を蒔く人」と言いま

＊Norbert Elias（1897-1990）：ドイツの社会学者。ナチスドイツを逃れてイギリスなどで活躍。宮廷内のマナーの研究などを通して、他者に内面を隠すことが閉ざされた自己意識、「閉ざされた人間」の形成に繋がっているなど、興味深い文明化の議論をおこなった。著書に、『文明化の過程』『宮廷社会』（ともに法政大学出版局）などがある。

しょうか。フッサールは現象学の根幹にあたる研究だけしかやっていないが、そこからいろんな方向に枝葉が広がっていく。

おもしろいですね。大筋では当たってる。そこで、フッサールの種はひとつではなく、第一の文脈、第二の文脈、第三の文脈と、少なくとも三つくらいは優良な種を蒔いていたわけですね。

Ⅲ　現象学的社会学の話を聞く

1　現象学的社会学とは何か

現象学的社会学とは

――社会学、現象学と学んできて、いよいよ現象学的社会学です。「現象学的社会学」と聞くと、まず、「フッサールの方法を使った社会学」、あるいは「社会現象をありのままに見ようとする社会学」なのかなと想像します。しかし、こうして現象学のいろいろなバリエーションを知ると、それは違うとわかりますね。「フッサールの方法を使った社会学」という理解では、現象学的社会学の可能性を切り詰めて、貧しくしてしまいそうです。

現象学は実に多彩で、メルロ＝ポンティの間身体性論やレヴィナスの他者性の問題、あるいはデリダ*の活動まで広い意味で現象学の発展のひとつなのでしょう。つまり、現象学の根はフッサールだけれども、メルロ＝ポンティやデリダという枝が伸び、さらに葉が茂り始めています。ならば、現象学的社会学は、そのような「現象学の発展全体とリンクした社会学」と考えたほうがより豊かになるのかな、と思うようになりました。

現象学はフッサールが始めたことではありますが、その後、約一世紀の間、続いてきています。ですから、「現象学的社会学」というときの現象学は、フッサールに限定することはありません。つまり、「フッサールの方法や考え方」を適用したのではなくて、「現象学の方法や考え方」を展開した社会学だということですね。

三回のブーム

現象学的社会学は、今までに、三回、燃え上がりました。一回目は一九三〇年前後、二回目は一九六〇年代、そして三回目は一九九〇年代です。

――フッサールが生きているうちに、一回目のブームがあるのですね。

ええ。一九二〇年から三〇年にかけて、現象学の「本質直観」や意識経験の分析を社会学研究にあてはめようという試みが出てくるのです。その一部では、社会の本質直観、国家の本質直観なんて言っていたようです。ただ今日ではあまり顧みられておりません。それよりも、この一回目のブームとの関連では、まずどうしても触れておかなくてはならない社会学者がいます。ジンメル[**]です。

ジンメル

ジンメルは、ヴェーバーやデュルケムとほぼ同時代の思想家で、学会の設立など、ヴェーバーと行動をともにすることもありました。ジンメルは、社会は心的相互作用によって成り立っていると考えました。心を持った人と人とが相互行為、相互作用をしていくなかで社会は発生・生成してくるのだと。社会の発端とか、社会が生まれる現場を相互行為に見ていたのです。だから、人と人とが相互行為して社会を形成する、その形式面を扱うのが社会学だと言いました。

――「形式面」に限定するのですか。

経済学も政治学も、人と人との相互行為を研究しますが、それらの学問は、経済や政治に関する相互行為の実質面、内容面を扱っていますね。社会学は、内容ではなく、人と人との関係の「形式」を問題にするんだと言うのです。それで、ジンメルの社会学は「形式社会

＊Jacques Derrida（1930-2004）：アルジェリア生まれのフランスの哲学者。ポスト構造主義、ポストモダン論の中心人物。脱構築（deconstruction）で有名。西欧のロゴス中心主義を批判。九〇年代前後からは、積極的に「他者」（例えば移民）に言及し、「他者の歓待」を説く。著書に、『エクリチュールと差異』『法の力』（ともに法政大学出版局）など。フッサールの『幾何学の起源』の仏訳者でも知られ、『声と現象』（理想社）というフッサール批判の書も有名。

＊＊Georg Simmel（1858-1918）：ドイツの社会学者、哲学者。倫理学や生の哲学、さらに歴史学や美学や文化論などにも論及して多彩に活躍。著書は、『貨幣の哲学』『社会学』（ともに白水社）など多数。

学」と呼ばれています。ただし、この「形式」とは、人と人とが相互作用して社会を作っていくという意味での「社会化」の形式です。ですから、社会構成の形態、原理を研究する学問ということです。これは、日本にも大きな影響を与えたし、現在も与えています。

現象学的社会学・第一の波

ジンメルの活躍もあって、とくに一九二〇年代から一九三〇年ごろにかけて、ドイツにおいて社会学は人と人との関係、心的相互作用を研究する学問だとされていました。それで、人びとは、どういうふうに意識を働かせて相互行為をおこなっているのだろうかと考えるようになった。ここで、現象学の出番です。いかにも現象学の知見を応用できそうな展開でしょう。実際、フィーアカント*やリット**など、そう発想する人たちがいたから、現象学的社会学の最初の波がやってくる。一九二〇年代から三〇年にかけてのこの時期は、まず心的相互作用との関わりで、現象学の第一の文脈だけが社会学に取り入れられました。これが、実質上の現象学的社会学の始まりです。

――ジンメルやヴェーバーも、現象学に影響を受けているのですか。

ジンメルもヴェーバーもフッサールの仕事に言及はしていますが、積極的に取り入れているということはありません。フッサールが『論理学研究』を出し始めて注目された一九〇〇年には、ヴェーバーやジンメルも、もう活動を始めています。フッサールが『イデーンⅠ』を出した一九一三年は、もうヴェーバーは宗教社会学の本格的な研究をしているし、ジンメルは大著『社会学』も書いて円熟期に入ろうとしている段階です。彼らは年齢的にフッサールと同じくらいですが、早く亡くなっています。「意識経験の文脈」は別にして、後期フッサールの影響を受けることはありませんでした。

——逆に、フッサールが、ヴェーバーやジンメルの影響を受けたってことはありますか。

フッサールが気の利いた、目配りのある人なら、そういうことも考えられます。でも、彼は、一部の人類学者や心理学者との交流はあったとはいえ、基本的には、自分の思索に沈潜して研究を進める人でしたね。当然、ヴェーバーやジンメルの名前は知っていたでしょうが、彼らの本はあまり読まずに、ひたすら自分の思索に没頭していた。まあ、悪く言えば、さきほども似たようなことを言ったと思いますが、「社会科学オンチ」でしょうね。

——なるほど。それで、ジンメル社会学は、その後、どうなったのでしょう。

＊Alfred Vierkandt（1867-1953）：ドイツの社会学者。ジンメルの影響も受ける。翻訳では、非常に古い訳で、『現代の国家と社会』（春秋社）がある。
＊＊Theodor Litt（1880-1962）：ドイツの哲学者、社会学者。「視界の相互性」で有名。『個人と社会』という著作が有名だが、その翻訳はない。

やがて、そういった心的相互作用の社会学、形式社会学の「形式」性に対しては反発が起こってきます。それが世の中の役に立つか、形式ではなく内容を扱わなくては意味がないと。そして、ドイツでも内容をともなった文化社会学と呼ばれる社会学が主張される。圧倒的にその力が強くなって、ジンメルも現象学的社会学も、いったん忘れ去られてしまいました。ぼくは現在、あらためて発生論との関係でジンメル再評価を考えているのですが、それについては後で触れましょう。

――第一のブームのとき、日本にも現象学的社会学は入ってきたのですか。

入ってはきました。とくに社会関係を論じるときには活用されました。ただし、日本の社会学の主流ではなかったでしょう。日本の社会学者がフィーアカントの講義を聴いて自分の著書で言及していることもありますが。

日本の場合は、コント、スペンサーの社会学が導入された後に、ジンメルの形式社会学が入ってきたと最初の方で言いましたね。しかし、やはり、形式だけ問題にして無内容だと批判されます。もっと文化を問題にしなければダメだ、社会全体を論じなければダメだと言われるようになっていく。この文化社会学、あるいは戦前の現象学的思潮は、日本文化を強調し、日本中心主義や超国家主義と近い関係になっていく危なっかしい面もありました。

シュッツ登場

――現象学的社会学の第一の波は、これで終わりですか。

いやいや。何が何でも、同時期、一九二〇年代から三〇年代の現象学者にして、今日の現象学的社会学のルーツである、アルフレッド・シュッツの話をしなければなりません。シュッツは一八九九生まれで、一九五九年に亡くなります。最初の本を出したのが第一の波が起こっているさなかの一九三二年。これは、彼が生前に出した唯一の本で、『社会的世界の意味構成』というタイトルで翻訳もなされています。

当時はナチスが政権をとる直前ですから、フッサール同様にユダヤ系だったシュッツは、たいへんな困難を強いられていました。当然、出版もままなりません。その状況にあって、出版できるよう資金を世話してくれたのは、日本の友人、法学者の尾高朝雄*の筋だと言われています。渋沢栄一の系譜ですね。シュッツの著書には、尾高への謝辞が書かれています。

尾高朝雄は、京城帝国大学教授、後に東京大学法学部教授になって、学部長も経験して、一九五六年にペニシリン禍で亡くなります。尾高さんは、ウィーンに留学したときにシュッツと親友になって、ときに夜遅くまで議論した仲だと言われています。アメリカのイェール

＊おだか・ともお（1899-1956）：職業社会学で知られる尾高邦雄の兄。法学者・小林直樹の父親。シュッツと同い年で、シュッツの著作では、Tomoo Otaka の名で謝辞が述べられている。著書に、『国家構造論』（岩波書店）、『法律の社会的構造』（勁草書房）などがある。

大学の図書館にあるシュッツ文庫の書類群に混じって、尾高家の家族写真が残されていたんですよ。家族ぐるみの付き合いだったようです。それで、シュッツの本は、日本のマネーで最初の本が出たらしいのです。ただし、すぐにヒットラーの時代になりましたから、その本の当時の影響力は限られていました。

『社会的世界の意味構成』

――シュッツの『社会的世界の意味構成』と言えば、現象学的社会学の古典のひとつですね。

『社会的世界の意味構成』には、「理解社会学の考察」といった副題がついています。理解社会学とは、ヴェーバーの社会学のこと。つまり、ヴェーバーが行為に着目したのはとてもよかった、しかし彼は社会学者だったので哲学的掘り下げは十分でなかった。そこをきちんとやったのが意識や認識の研究をしていたフッサールである。だから、自分はフッサールの現象学を使ってヴェーバーの行為論を補完するんだ。こういうモチーフです。

――現象学を使ってヴェーバー理解社会学の基礎づけをする。シュッツのそのコンセプトは、生涯変わらなかったのでしょうか。

社会科学の哲学的基礎づけというモティーフですが、それは、まあ微妙。大きく分ければ、シュッツの仕事も、前期、後期と分けられる。あるいは、もう少し細かく、前期、中期、後期と分けられる。そのなかで、少なくとも、前期のシュッツが、ヴェーバー社会学をフッサール現象学で基礎づけようとしていたことはまちがいない。ただ、中期と後期、とりわけ後期は、それだけと言えるかどうかは微妙ですね。

現象学的社会学のルーツ

——現在まで続く現象学的社会学のルーツはシュッツである、と考えていいのでしょうか。

現在、社会学のなかで現象学を論じている人の多くは、その系譜です。二世代、三世代くらい上には、フィーアカントとかリットの影響を受けた社会学者もいました。しかし、その後の若い世代にとっては、現象学的社会学はシュッツが起点になっていると言っていい。これは日本だけでなく、世界でもそうです。

——フッサール哲学を研究しているうちに社会的な関心を持ち始めて、現象学的社会学者になった哲学者はいないのですか。

現象学的社会学を名乗るのは社会学者だけでしょうね。現象学をやっていて、社会的な事柄に関心を持っている人は多数いるけれど、それを現象学的社会学とは言わないでしょう。

たとえば水俣病に強い関心を持っていて、水俣病の関係者の活動・運動に関する問題を積極的に書いている現象学者がいます。どうして日本の社会学者あるいは現象学的社会学者がこういうことをやれなかったのかという自戒の念を込めて言うのですが、これは非常に刺激的な試みです。でもその人はやはり現象学者であって、現象学的社会学者とは名乗らないでしょう。廣松渉*も『現象学的社会学の祖型』（青土社）という本を書いていますが、哲学者としての仕事ですね。

――『社会的世界の意味構成』から現象学的社会学が始まるとすると、「現象学的社会学」という言葉が初めて登場するのも、その本ですか？

いや、実は、「現象学的社会学」という名称は、シュッツは生前一度も使っていません。シュッツの直接の弟子のひとりであるルックマン**も「現象学的社会学」という言葉は使っていない。それどころか、彼は「そんな社会学はありえない」と書いているぐらいです。ぼくはルックマンに会ったとき、そのことを話しました。すると、「オレ、そんなこと書いたっけ」っていう反応をされたけど、それは彼の本にほんとうに書いてあります。また、著名な社会学者、ピーター・バーガー***も使いません。彼は現象学的社会学の中心人物のように思われていた時期もありましたが。

では、誰が「現象学的社会学」という名称を使い出したのか。ボストン大学のジョージ・サーサス****という人が最初に使ったと言われています。一九七〇年代前半のことです。

――それまで、シュッツ派の社会学者たちは、自分たちの方法や仲間を何と呼んでいたのでしょう。

とくに名称はありません。そもそもシュッツ自身、どこまで自分を社会学者と思っていたのか。シュッツはアメリカに亡命して、ニュー・スクール・フォー・ソーシャル・リサーチという大学院大学で社会学と哲学を教えていた。具体的な講義題目を挙げると、「社会的行為論」や「知識社会学の諸問題」といった社会学ものから「現代ヨーロッパ哲学」「因果性」などの哲学ものまで多様であった（詳しくは、拙著『意味の社会学』〈弘文堂〉参照）。それから、シュッツは社会学者パーソンズと手紙をやりとりして議論していたこともあった。こうして社会学に深くコミットしているのだけれども、自分のことは社会学者というよりは哲学者だと思っていたのではないでしょうか。

＊ひろまつ・わたる（1933-1994）：哲学者、マルクス研究者として著名。著書は、本文で言及するもの以外に、『存在と意味』（全二巻）、『物象化論の構図』（以上は岩波書店）、『共同主観性の現象学』（世界書院）、『哲学の越境―行為論の領野へ』（勁草書房）など多数。マルクス研究の著書としては、『マルクス主義の地平』『マルクス主義の理路』（ともに勁草書房）などがあり、また中国語にも訳された『廣松版ドイツ・イデオロギー』と称されるマルクス・エンゲルスの著書の翻訳（岩波文庫）がある。

＊＊Thomas Luckmann（1927-）：旧ユーゴ生まれ。フランクフルト大学やコンスタンツ大学などの教授を歴任。翻訳された著書としては、『見えない宗教』（ヨルダン社）などがある。シュッツの著作計画をもとに、シュッツとの共著の形で『生活世界の構造』（未訳）を書き、二巻本で刊行されている。

＊＊＊Peter L. Berger（1929-）：オーストリア生まれのアメリカの社会学者。著書に、『社会学への招待』（思索社）、『聖なる天蓋』、共著で『故郷喪失者たち』（新曜社）などがある。

＊＊＊＊Gerge Psathas：ボストン大学教授。翻訳された著書に、『会話分析の手法』（マルジュ社）がある。

2　シュッツをどう捉えるか

弟子のおかげ？

——よけいな感想ですが、シュッツって、「シュッツがとても偉い人なので、優秀な弟子や孫弟子が出てきた」というよりも、「弟子や孫弟子が活躍したおかげで光があてられ続けている、流派のお師匠さん」て感じもします。

ああ、ぼくもそう考えた時期がありました。しかし今は、シュッツ自身、かなりすごい人だったんじゃないかって思います。彼は論文も少ないし、本も生前は一冊しか出していなかったわけだから、業績としてはたいしたことはやっていません。三百本以上も論文を書き、約三十冊も本を書いたパーソンズとは比べものにならない。

ただ、実際にシュッツの謦咳《けいがい》に接した人たちの話によると、シュッツは七か国語を自由に操ったそうです。最後に正教授になる晩年近くまで、昼は銀行家、夜は現象学者って形で二重生活を送っていました。ぼくは、それに音楽理論家シュッツの活動も含めて、シュッツは三つの顔を持っていたと言っています（上述『意味の社会学』および『自己と社会』〈新泉社〉参照）。

つまり、経済や法律にも通じていて、国際関係からギリシャ、ローマなどの古典に関してもたいへんな知識を持っており、また音楽、とくにモーツァルトに造詣が深いなど、ものすごい博学であったことは確かなんです。シュッツには、いわば学問的・人格的な魅力みたいなものがあったのでしょう。だから、人が集まってきた。単純にお弟子さんが優れていたから光を当てられただけではないと思いますね。

シュッツとメルロ＝ポンティ

――シュッツは自分のことを哲学者だと思っていた。すると、哲学者、例えば現象学者と交流はあったのですか。

もちろんです。渡米後すぐに、シュッツは現象学の国際学会の創設に尽力しています。また、メルロ＝ポンティとも交流がありました。

ただ、シュッツとメルロ＝ポンティの関係は良好とは言い難いものでした。例えば、一九五〇年代に、シュッツはメルロ＝ポンティから原稿の依頼を受けるんです。しかし、原稿を人に頼んでおきながら、メルロ＝ポンティからは十分な連絡もない。シュッツは自分の書いた本を送ったり、原稿を送ったりするけれども、メルロ＝ポンティからは礼状のひとつもこない。また、メルロ＝ポンティとシュッツはある会議で実際に会ったりもしていますが、やはりメルロ＝ポンティは非常につれなかった。人間関係としてはシュッツとメルロ＝ポンティはあまりうまくいってなかったんですね。

今、メルロ＝ポンティの人間性に問題があるような言い方をしましたが、彼にはいろんなエピソードがありましてね。メルロ＝ポンティと母親との関係とか、知られざる父親との関係とか。メルロ＝ポンティは、かなり孤独な人だったんです。そのかわりと言いますか、芸術的な感性が豊かで。だから、ああいう仕事ができたんだろうと思いますけども。

――メルロ＝ポンティからシュッツに受け継がれたものがあるのでしょうか。

メルロ＝ポンティとの関係はねじれてはいたけれども、シュッツはメルロ＝ポンティから少なからずヒントを得ていると思います。あるいは、期せずして両者の見解が重なってきたというふうに言えるのかもしれない。とりわけ一九五〇年代、シュッツ晩年のおよそ一〇年間は、シュッツとメルロ＝ポンティの航路は重なり合っているとぼくは思っています。シュッツがその時期に書いた論文は、音楽に関するものであったり、身体に言及するものであったり、フッサールを批判する論文であったり、かなりメルロ＝ポンティを意識しています。あるいはメルロ＝ポンティから影響を受け、メルロ＝ポンティに言及し、メルロ＝ポンティを論じていた。だからこそ、メルロ＝ポンティも行ったルーヴァンに、シュッツも行きたがっていたんでしょうね。

――えっ、シュッツはルーヴァンに行っていないのですか。

シュッツは一九五九年に在外研究でルーヴァンのフッサール文庫に行く予定だったんです。けれども、その前に体調を崩して亡くなってしまった。元気で行っていたら、そして、フッサールの第三の文脈に深く触れていたら、また違った展開が見られたはずなので、残念ですね。

第二の波・六〇年代・現象学的社会学の再評価

――さて、ジンメル社会学の影響力も下がり、シュッツが登場したところで第一の波は終わりました。現象学的社会学は、次に、一九六〇年代に燃え上がるんですね。

現象学的社会学の次の波は、一九六〇年代から七〇年代にかけてです。なぜ六〇年代に現象学的社会学は盛り上がるのか。その理由は二つあります。ひとつはシュッツの著作集や彼のドイツ語で書かれた著書の英訳が出版されたこと。もうひとつはパーソンズという論敵が活躍していたこと。ひとつ目からお話ししましょう。

一九三〇年代にシュッツが著書を出版したときは、すぐにナチス時代、そして戦争になって、業績が埋もれてしまいました。ユダヤ系であったシュッツは、フッサールから助手になるよう求められましたが、それを断って、最終的にニューヨークに亡命し、ヨーロッパの亡命知識人を受け入れた大学院大学で教え始めた。そしてそのころから、彼は英語で論文を書き始めています。

そして、亡くなる一九五九年までの主として英語で書かれた論文が、一九六〇年代に全三巻の著作集にまとめられて出版されます（邦訳は『シュッツ著作集』全四巻、マルジュ社）。それと同時に、最初に出したドイツ語の本が再版され、さらに一九六七年にはその英訳版も出た。つまり、一九六〇年代になると、シュッツの著作物が一気に日の目を見たのです。

——どんなにいい仕事をしていても、本の形をとるまでは大きな影響力は持たないのですね。

論敵パーソンズ

六〇年代に現象学的社会学が盛り上がった二つ目の理由。それは、シュッツの論敵タルコット・パーソンズが活躍したことです。

——パーソンズと言えば、社会学の巨匠のひとりですね。少し寄り道になるかもしれませんが、まず、パーソンズについて教えてください。

パーソンズ（Talcott Parsons）は、一九〇二年、アメリカのコロラド生まれ、大学では生物学を学びました。大学時代には大学改革運動にも関わったようですが、やがてロンドン・スクール・オブ・エコノミクスへ、さらにドイツへ留学します。アメリカに戻ってからは、ハーバード大学の社会学の先生になります。そして、亡くなる一九七九年まで、アメリカのみならず世界の社会学の頂点に君臨するような活躍を続けました。一九六〇年前後から七〇年代にかけては、「パーソンズにあらずんば社会学者にあらず」と言わんばかりの圧倒的な影響力を持っていました。

――私の学生時代の記憶では、パーソンズ社会学はシステム論的な社会学だったはずです。そのパーソンズが、どこでシュッツと交わるのでしょうか。

パーソンズは、一九三七年に『社会的行為の構造』という本を書きました。原書で二巻本、翻訳では五分冊になる大きな本です。それは、ヴェーバーとデュルケムの対立などを私の観点から統一するぞと言わんばかりの本でした。

その段階のパーソンズの理論は、「ボランタリスティク・セオリー・オブ・アクション」、つまり主意主義的行為理論と名づけられ、主観的意味を重視したヴェーバーの立場を基本的には引き継いでいます。しかし、ヴェーバーの立場だけでは、みんなが勝手なことをやって争っているだけのいわばホッブス状態（＝万人の万人に対する闘争状態）に近く、実際にはそれなりに秩序ある生活をしていることが説明できない。だから、規範の共有による規制という集合意識的な面を説いてきたデュルケムの社会学主義でそれを補って、自分の行為理論を作るんだと言うわけです。

——大きく出ましたね。でも、ヴェーバー社会学の弱い部分を補おうという本だとすると、シュッツの最初の本とコンセプトが似ています。ふたりの交点が見えてきました。

往復書簡

ええ。それで、一九四〇年代初頭、亡命まもないシュッツは、パーソンズと、お互いの立場を表明し批判しあうような往復書簡を取り交わすのです。

シュッツは突込んだ議論を望んでいました。私もヴェーバーに注目しています、でも、私とあなたではヴェーバーの扱い方が違いますね。そして、論争が始まった。

パーソンズは頑《がん》として自分の説を曲げません。あなたの言うこともわからないでもないが、それは哲学であって社会学ではないよ、私はあなたの考えていることの後で、社会学として次の段階を考えているんだよ、というように。その往復書簡は、ま、噛み合わないと言えば、噛み合わないまま続いて、やがて途絶えてしまった。

その手紙は後になって公開されて、『社会理論の構成』という題名で単行本化され、翻訳も出ています。

――実際に手紙をやりとりしていた段階では、ふたりの論争は世に知られずに終わったわけですね。そうして、パーソンズはおそろしくビッグになっていく。

システム論

さきほどもお話ししたように、パーソンズはもともとヴェーバーを引き継いで主意主義的行為理論を唱えていました。しかし、戦後、社会科学全体に大きな影響を与えたシステム論が出てくると、パーソンズも、いち早くシステム論的な発想を取り入れて、自分の学問を軌道修正していきます。

システムとは何か。内部の諸要素が互いに関連しながら相互依存している。そして、外部とは境界線が引けて、ひとつのまとまりを作っている。この「内部の要素の相互依存」と「外部との境界維持」という要件さえ満たしていれば、それはシステムであって、小は恋人関係、家族から、大は日本社会、ＥＵ、国際関係までシステム論で論じることができるのです。

社会システム論の本を書くようになったパーソンズは、一九五〇年代の後半からは、より精緻で応用性の高い図式を展開し始めました。

――いわゆる「ＡＧＩＬ図式」ですね。

ＡＧＩＬ図式

そう。現実社会はつねにゴチャゴチャしていて、よくわからないものです。そこにあるさまざまな位相の社会システムを分析し、記述する際の便利なツールとして、パーソンズは「ＡＧＩＬ図式」を考えました。

「ＡＧＩＬ図式」とは、簡単に言えば、縦軸上下にシステムの外部と内部を考えて、横軸左右に手段と目的を置く。すると四つのボックスができる。左上から右回りで、Ａは適応、Adaptation のＡ。Ｇは目標（Goal）を達成していくときのＧ。Ｉは統合、Integration のＩ。Ｌは、内面的なことがら、潜在的な事柄、Latency のＬ。これらは四機能要件と呼ばれ、システムが維持・存続されていくために必要な機能であるというわけです。

これは国家レベルで考えればわかりやすい。Ａは経済、Ｇは政治、Ｉは社会、Ｌは文化（教育、宗教など）が、それぞれ担っている。この図式を使って記述し、分析していけば、社会はすっきりと見えてくる、とパーソンズは考えた。

――ほんとうにこの図式ひとつで、すべてのシステムを語ることができるのでしょうか。

説明が単純すぎると思うでしょう。パーソンズは、これは基本を示しただけだ、と言います。例えば、Ｇの領域も「スモールａｇｉｌ」というようにさらに四つに分けることができる。政治というＧの領域なら、政党の資金を考えてみればスモールａがある。政党の方針はどうするか（g）とか、政党のなかの人間関係を調整する（i）とか、その党員の教育はどうするか（l）とか考えていくと、それぞれの領域に下位分類ができるから、四掛ける四で十六分割、さらに四を掛けて六十四分割……と、非常に細かな議論になる。また、ＡＧＩＬそれぞれの関係は、ＡとＧとの関係、ＡとＩとの関係、というふうに、二つずつ要素をとっても、少なくとも六本ある。その関係を分析していけばいいんだと言うわけです。

パーソンズ批判1・変動論の欠落

――かつて、パーソンズの理論には完全無欠な風格がありましたね。批判はなかったのですか。

パーソンズは生物学出身で、ＡＧＩＬ図式には十九世紀の社会有機体論の再来のようなところもありますよね。インプット・アウトプットの均衡バランスをとって社会が生きている。ま、それはいいとしても、その後、パーソンズのＡＧＩＬ図式に対して、いくつか批判が出てきました。二つだけ挙げておきましょう。

ひとつは、ＡＧＩＬ図式は均衡論でしかない、これには変動論が欠けている、社会変動を説明できないではないか、保守イデオロギーではないのか、という、例えばマルクス主義者たちも投げかけた批判。

――一九六〇年代っぽい批判ですね。パーソンズはどう答えたのでしょうか。

そもそもパーソンズは、どうしてＡＧＩＬ図式を考えるようになったか。もう一度、ＡＧＩＬ図式を見直してみましょう。

例えば、ふたりの人が結婚したいと思って交際している。そこに、第三者が入ってきたら、私たちはもう婚約してるからダメよ、と拒む。ここには、内外を分ける境界線がある。そして、内部の要素であるふたりは、相互依存している。だから、このカップルもひとつのシステムですね。

ふたりは結婚という目標（Ｇ）に向かっている。でもそのためには、経済（Ａ）的にどうするのかって問題もある。ケンカ別れをしてしまったら、統合（Ｉ）の部分は崩壊してしまう。まさに愛による結びつきですね。崩壊しないようにふたりは、誕生日に贈り物をあげたりしながら、内面の動機づけ（Ｌ）を満たしている。システムが維持・存続していくためには、こうやってＡＧＩＬという各機能が満たされなくてはならない。

このように、パーソンズのＡＧＩＬ図式は、基本的に、システムを維持存続させるにはどういう機能が必要か、と考えているんです。システムを変えていくとか、壊していくとか、そういう発想は、もともとない。しかし、崩壊はまとまりがもともとあるから崩壊する。そのまとまりを私は研究しているんで、社会変革といった、時代の「風土病」には関心がないといった態度でした。風土病ってのは、パーソンズ自身の言葉です。

――なるほど。パーソンズとしては、そんな批判は先刻承知の上、痛くもかゆくもないってところでしょうね。

パーソンズ批判2・日常世界の無視

二つ目の批判は、より若い世代の社会学者から出てきました。彼らが問題視したのは、パーソンズ社会学における、社会学者の立ち位置です。

現実の社会は複雑です。そのなかで、意識や意志や感情や身体を持った人びとが暮らしている。でも、複雑すぎて当人たちにも、現実の社会がよくわからない。そこで、社会学者が登場してきて、君たちにはわからないかもしれないが、ＡＧＩＬ図式を使って分析すれば、君たちの暮らしている社会の構造や機能は、このようにきれいに整理されて、記述できるんだよ、と言う。いわば高みから図式を用いて教えてやるっていう発想です。

でも日常生活を生きている人たちからしてみれば、そんなことは社会学者に言われなくても、いわば生活の知恵を持っていて、自分たちの世界をそれなりに合理的に築いているわけです。そういうナマ身の生きた人間の像というものが、パーソンズの理論からはスポッと抜け落ちてしまっている。悩み、苦しみ、喜ぶ、生身の人間像が、パーソンズの図式のなかにはないではないか、という批判がなされました。

――あー、その批判には、現象学のにおいがしますね。

そう、そこでシュッツが引き合いに出されます。もうひとり、パーソンズと同じようにヴェーバーから影響を受けたけれども、パーソンズとはまったく違う展開をしている学者がいたな、と。

シュッツの方法論

シュッツはかつてヴェーバーの影響のもと、社会学を中心に社会科学の方法論を論じていました。シュッツがそのとき言っていたことを簡単に紹介しましょう。

社会学が扱う対象は、言うまでもなく、日々、社会のなかで生きている人びとです。その人たちは、意識を持ち、言葉を使い、思索しながら生きている。社会科学者が用いる概念とは違う、いわば一次概念を用いて暮らしている。

一方、それを分析の対象にする社会学者は、人びとの日常世界とは離れたところから、人びとは別の概念を使って、あるいは図式を使って分析しようとする。それは二次概念です。しかし、ほんとうに日常生活の世界が何なのかをわかろうとするならば、一次概念を把握しなければならない。つまり、この一次概念と二次概念が重なり合うようにしなければいけないのではないか。シュッツは、そう言いました。

つまり、知りたいのはその社会の暮らしの様子なわけだから、研究者が勝手に高みから、あるいは外部から図式を当てはめたりするのではなく、日常生活者自身が持っている概念の枠組みと体系を社会学者が把握するべきではないか。一次概念と二次概念の一致こそ、社会科学が目指すひとつの目標ではないかと言っていたんですね。そのことは、パーソンズとシュッツの往復書簡でもすでに論じられていたんです。

シュッツとパーソンズ

パーソンズは人間なき社会学理論を展開しようとしていたのではないか。それに対して、生活世界や人びとの意識を問題にしていたシュッツは、血の通った、人びとへの思いを持った、人間主義的な社会学者。そう論じられるようになりました。

さらに、社会の構造には関心を持つが、社会の変化にはまだあまり関心を持っていなかったパーソンズに対して、日常世界、あるいは生活世界を重視し、人びとの主観性や主体性に焦点を当て、日常生活を送る人びとを主人公とし、その社会変革への主体的な思いもすくい上げるシュッツ。そういうふうにして、「パーソンズ対シュッツ」という図式ができあがってきました。

――パーソンズとシュッツの違いは、客観主義と主観主義の違い、と大ざっぱに受け取ってもいいでしょうか。

はい。実際、後の学説史家が、客観主義の立場に立つパーソンズ、主観主義の立場に立つシュッツ、というふうに描いているくらいですから。

——しかし、パーソンズも最初は「主意主義的な行為理論」を唱えていたわけですよね。すると、パーソンズは主観主義から客観主義へ転向したのでしょうか。

そう言う人もいます。前期パーソンズと後期パーソンズには大きな断絶がある、とかね。あるいは、中期パーソンズを間にはさんで、転向したわけではない、少しずつ変わっているのだ、という人もいます。後期パーソンズのＡＧＩＬ図式の軸にも「目的—手段」という行為論の文脈が入っているじゃないか、とかね。また、ＡＧＩＬ図式は社会システムだけに当てはまるものではない、パーソンズは人間存在のＡＧＩＬ図式みたいなものも考えて、心理的な面や主観的な面も導入しようとしていたのだ、だから、パーソンズの姿勢は一貫しているんだと主張する人もいます。たしかに晩年近くには、「人間の条件」パラダイムというＡＧＩＬ図式を展開しています。

ちなみに、パーソンズは晩年、この図式の順序を逆にしてＬＩＧＡ図式と表記します。そしてそれは下部に経済、上部に文化がくるマルクス主義の下部構造、上部構造を連想させるのですが、この点には深入りしないでおきましょう。

——ともあれ、社会学界の巨人パーソンズに悪役を演じてもらったおかげで、シュッツの名も高まりました。

日本の著名な社会学者の富永健一*さんに言わせれば、パーソンズを批判するときの一方の中心として、シンボリックな存在としてシュッツがあった、というわけです。

シンボリック相互作用論

ところで、パーソンズが悪役を演じたおかげで光が当てられたのは、シュッツだけではありません。一九一〇年代から三〇年代の最初のころにシカゴ学派で活躍していたミードも、この六〇年代に再評価されました。

現象学的社会学とは別系統なのですが、しかし、現代社会学のなかでは「意味学派」などと呼ばれて——ぼくは「意味社会学」と呼んでいますが——、いっしょに論じられることの多い「シンボリック・インタラクショニズム」、つまり「シンボリック相互作用論」ってのがあります。その源流が、このジョージ・ハーバート・ミードです。

ミードは「Iとme」なんて言いました。「me」というのは、社会的に形成された自我。それを動かしている核に「I」という、いわば社会化されていない、創造性や主体性の源のような自我がある。だから、主我と客我とも訳されることもあります。

シンボリック相互作用論は、社会を変えたり、新しいものを作り上げたりする源を、この

*とみなが・けんいち（1931-）：長らく東大教授を務める。パーソンズ社会学の日本導入の中心的存在。『社会変動の理論』（岩波書店）、『現代の社会科学者』（講談社学術文庫）、『社会学講義』（中公新書）など著書多数。パーソンズの翻訳も手がけている。

「I」に求めようとしました。「I」を強調するミード像が、六〇年代、主体性の回復という文脈、疎外論的な立論のなかで注目されたんですね。ポストモダニズムは「差異こそすべて」だったわけですが、シンボリック相互作用論のミード解釈では「Iこそすべて」だったわけです(笑)。とくに、ブルーマー*というアメリカの社会学者がそのような点を強調しました。そうやって、主体主義者ミードの像が作られてきた。今でも概説書などには、そう書かれています。

発生論的アプローチ

――「Iとme」の話を聞くだけでは、ミードの議論は、頭のなかで勝手に想像しただけの可能性や自由を「本質」と見なして、それとの比較で目前の現実を批判しようとする「悪しき疎外論」という感じがします。

そうですね。現代社会学の文脈では、パーソンズを批判する「主体主義者ミード」が強調されたわけですが、しかし、ミードを読むと、そのことだけを言っているとは思えません。ミードが取り組んでいたのは、まさに行動発達論的な発生論です。子どもの発達や社会化論だけではありません。ミードは、鳥や犬などの動物のコミュニケーションから、言語による人間的なコミュニケーションが生まれてくるプロセスのようなものを盛んに論じています。つまり、ミードの議論は単純に主観性を強調したものではない。相互行為による発生、社会の生成、言語の生成、主観の生成……、もっとずっと射程が広い議論なのです。

例えば、ミードは身振りの問題を、よく論じています。怒った顔、笑った顔に幼児が反応する。また、ある犬がワンと吠えると、もう一方がワンと対応する。あるいは尻尾をまいて逃げていく。こういう分節言語ではない身体的な表情のなかに相互行為の源を見出していきます。その上で、人間には声という特殊なものがあって、声を発すると同じ音が相手に届くと同時に自分にも届くわけで、そうした音声の共有に立脚して言語の生成を論じていこうとします。これはどこまで妥当するのか、議論の余地はあるでしょうけれど。

ともかくミードは、こうして、生物や人間のコミュニケーションを、その発生、生成、発達の場面から発生論的に論じていたのだ、というのがぼくのミード理解です。

このことは、当時、スティーヴン・ヴァイトクスという現象学的社会学者が『How is Society Possible?』、百年前にジンメルが同じ意味のタイトルで論文を書いているのですが、直訳すれば『社会はいかにして可能か』という本で書いています。ぼくはヴァイトクスのことをおもしろいと思って、翻訳を出しましたよ。『「間主観性」の社会学』（新泉社）って本。

つまり、ぼくがミードやシンボリック相互作用論の理解に関して何を言いたかったのかというと、主観的アプローチから間主観的アプローチへ、あるいは発生論的アプローチへと解釈が移行してきているということです。現象学の第三の文脈と重なり合う論点です。もちろん、「主体性を強調したミード」という解釈も、その意図は理解はできますけども。

＊Herbert G. Blumer（1900-1987）：アメリカの社会学者。シンボリック・インタラクショニズムの名付け親。著書に『シンボリック相互作用論』『産業化論再考』（ともに勁草書房）などがある。

3　シュッツからの展開

シュッツ社会学と第三の文脈

――フッサールにしてもミードにしても、その可能性の中心は「間主観性論」にあるのですね。シュッツも同様でしょうか。

その質問に答えるために、八〇年代以降のぼく自身の研究についてお話しさせてください。さきほど話したように、シュッツは、一九六〇年代のアンチパーソンズの流れのなかで注目されました。それが七〇年代から八〇年代にかけての日本でのシュッツのブームにつながっています。その段階では、シュッツ社会学は、主観主義的な、あるいは主観性や主体性を重視する、個々の行為者に注目する社会学であるとされていました。しかし、ぼく自身は「主観主義者シュッツ」には違和感を持つようになって、「間主観主義者シュッツ」像を描こうとしてきた。そして、そのようなシュッツの仕事のなかでも、とくに、発生論的相互行為論、あるいは発生論的な間主観性論とでも呼ぶべき議論がある。それをぼくは「発生社会学」と呼んでいるんですが、それに着目し、明確な形を与えることが、八〇年代から九〇年代へと至るぼくの「社会学的思考」なのです。

――シュッツの可能性の中心は（主観主義ではなく）間主観主義にある。ただし、それは独自の見解であって、一般的な意見ではないと。

一九八〇年代には、ハーバーマス*やギデンズやブルデュー**などのスケールの大きな社会学者が登場してきました。彼らの仕事を、ぼくは「統合的社会学理論」と名づけています。「パーソンズが主張したシステムと、シュッツが主張してきた個々人の生活世界とを統合すれば、より適切な社会理論になるだろう」というふうに、これまでの学説をふまえた上で、社会全体を説明しようという統合理論を彼らは打ち出していたからです。やはりそこでも、パーソンズは客観主義、シュッツは主観主義という扱いをされていました。

＊Jürgen Habermas（1929-）：ドイツの哲学者、社会学者。批判理論で知られるフランクフルト学派の第二世代の代表者。近代の理想を掲げなおし、理性的な理想的発話状況にもとづくコミュニケーション的行為を説き、公共性の議論を推し進めた。著書に、『公共性の構造転換』『コミュニケイション的行為の理論』（ともに未來社）、『他者の受容』（法政大学出版局）などがある。

＊＊Pierre Bourdieu（1930-2002）：フランスの社会学者。ハビトゥス、文化資本などの概念を用いたことで著名。階層・学歴・文化の研究から進めて、九〇年代には反グローバリズムの立場を鮮明にする。著書は、『ディスタンクシオン』『構造と実践』（ともに藤原書店）など多数。

しかし、それはほんとうなのだろうか。

ぼくはシュッツの翻訳もしていたので、シュッツを丹念に読んでいたわけですが、どうも、そういう一面的な把握の仕方だけでは、捉えきれないシュッツがいる。あるいは、シュッツから汲み取ることのできる貴重な財産、鉱脈は、そういうところにあったんだろうかと疑問を持ちました。もちろんシュッツに主観主義的なところがあったのは紛れもない事実です。でも、そう言ってしまうだけで、シュッツの意義を汲み上げたことになるのかどうか。

主観を強調したのは確かなことだけれども、他者の問題、身体の問題、文化の問題もある。要するに間主観的な側面がある。それは、実は、フッサールが現象学を展開していくプロセスにもあったし、その後の現象学運動の流れのなかでメルロ゠ポンティにも受け継がれていく展開であった。そういう展開もふまえて考えていくと、いわば第一の意識経験の文脈の延長上にだけ位置づけて、主観主義者シュッツ像を作り上げていくのはやはり不十分なのではないか。

——翻訳の仕事をすることで、シュッツのことが、それまで以上にはっきりと見えてきたんですね。

とくに強くそう思うようになったきっかけは、シュッツが書いている四つの音楽論でした。とりわけ一九五〇年代に書かれた論文を丹念に読み返してみると、シュッツは、音楽は概念によらないコミュニケーションである、と書いていた。音楽を媒介にして、「ミューチュアル・チューニング・イン・リレイションシップ」が形作られてくるのだという。つまり、相互にチューニング・インする関係。われわれの翻訳では、相互に波長を合わせる関係と訳しましたが、相互同調関係、あるいは相互共振関係とも訳せます。シュッツは、シンクロナイジングって言葉も使っていますが、そういう間身体論的な文脈が確かにシュッツのなかにあるのです。とりわけ一九五〇年代後期のシュッツには、この点がはっきり出てきています。そのことに気づいたんですね。

そのシュッツ像をきちんと捉え直したいと思うので、ぼくは、あえて主観主義者シュッツ像ではなく、発生論的相互行為に基づく間主観主義者シュッツ像を前面に出したのです。

もちろん、ぼくの見方に対して批判もあります。シュッツの主観主義的な側面は、こんなところにもあんなところにもあるじゃないかと指摘される。ぼくは、そのとおりだと思う。だけど、それだけがシュッツから汲み取ることのできるメリットなのではない、間主観的な側面をきちんと押さえなければいけない。そのために、ぼくは、あえて、発生論的な間主観主義者シュッツの像を取り結んでみせたわけです。

――わかりました。シュッツは確かに主観主義者だった。その面で、いい仕事もたくさんしている。しかし、それだけではないはず。間主観主義者の側面を見落としては、もったいないと。

発生論

――ところで、今、「発生論的な間主観主義」という言い方をされましたが、この「発生論」とは何でしょうか。

間主観性の最も基層の部分、間身体性といってもよいのですが、そうした水準の議論をふまえた社会学的な展開です。ここでは簡単に触れるにとどめますが、ぼくは、三つの発生論を構想しています。（1）ヴェーバーのように今ある社会の歴史的発生を問う「歴史社会的発生論」、（2）ミードが検討したようにいわば個人の社会化の過程を問う「行動発達的発生論」、（3）そしてジンメルが論じたような相互行為によって社会が作り上げられる「社会構成的発生論」です。こうしたことを考えていくとき、シュッツは今も多くの示唆を与えてくれる源泉なのです。

――なるほど。シュッツの文献そのものの研究も進んでいるのですか。

ええ。シュッツ研究も、日々、進んでいます。シュッツが刊行しなかった論文や書簡類、シュッツが残した蔵書への書き込み、シュッツの細かな、未発表、未刊行の活動記録、そういうものが少しずつ明らかになっています。今、ドイツ語版のシュッツ全集の刊行が始まっています。その英語版も出るし、日本語訳も出るでしょう。シュッツ研究に特化する人びともいる。それは、重要な仕事なのですが、ぼく自身は、一生をシュッツ研究に捧げるよりも、シュッツから得たものを現代社会の分析や研究に役立てていきたいと思っています。その場合、「間主観性論者シュッツ」の可能性は小さくないと思っているわけです。

――師匠にはヘーゲル型とフッサール型がある、という話をしましたが、シュッツをフッサール型の師匠として扱いたい。シュッツという大木の下に入るのではなく、シュッツからもらった種を育てていきたいってことですね。で、シュッツからもらった種、シュッツの可能性の中心は、主観主義的な側面ではなく、間主観性論にあると。

『現実の社会的構成』

『ソーシャル・コンストラクション・オブ・リアリティー』というピーター・バーガーとトーマス・ルックマンが書いた本があります。かつては『日常世界の構成』と訳されていましたが、近年、新訳が出て、『現実の社会的構成』というオリジナルのタイトルの直訳になりました。現象学的社会学のもはや古典とも評される、世界中で非常によく読まれた社会学の本、二十世紀の社会学文献十傑のなかに入る本です。

この本のおかげで、シュッツの名前は広まりました。けれども、そのかわりシュッツは切り詰められてしまった、とぼくは思っています。ルックマンが書いたと思われる第Ⅰ部などに、「社会の主観的な側面に光を当てたシュッツ」という主張が強くあって、ここでは、シュッツは主観主義であるととられてもおかしくない書き方をしています。そのせいで、「主観主義者シュッツ」像が、ますます固まってしまいました。

——バーガーとルックマンの『現実の社会的構成』という書名は、シュッツの著作『社会的世界の意味構成』に似ています。意識してつけている書名なのでしょうか。

シュッツが一般に受け入れられた論点は三つ四つありますが、そのひとつが「多元的現実論」です。つまり現実はひとつじゃないよっていう主張です。日本でも、文化人類学者の山口昌男*が早い段階で注目していましたね。

われわれが夢を見ているときの現実、学問をしているときの理性的な現実、遊びの最中の情動的に立ち振る舞っている現実、あるいは芸術、映画のシーンのなかなど、さまざまな現実をわれわれは生きている。人類学風に、未開社会のリアリティ、都市的世界のリアリティ、なんて言ってもいい。

また、対象の見方という点からも語れるでしょう。ひとつの石を科学的に見るのか、宗教的に見るのか、遊びの世界の立場で見るのか、労働の立場で見るのか。いろんな視点があります。視点のとり方によって、世界の見え方が変わってくる。呪術の世界と科学の世界を対比すれば、わかりやすいでしょう。現実は多元性を持っている、多元的に構成されているんだ、とシュッツは言うわけです。これを「マルティプル・リアリティーズ」、「多元的現実」論と言います。

その論点を受け継いでいるのが、『現実（リアリティ）の社会的構成』のバーガーとルックマンです。つまり、この書名はシュッツの主著『社会的世界の意味構成』に似せているのではなく、中期以降シュッツが展開した「多元的現実論」をひとつの源泉として、人びとによる社会の意味構成をふまえていることを表明しているのだと思います。

第三の波・九〇年代のシュッツ研究

——シュッツの著作の翻訳が進んだことで、一九八〇年代には、いっそう深い解釈がなされるようになりました。では、九〇年代のシュッツ研究は、どのようなものだったのでしょうか。

九〇年代に、もう一度シュッツが着目されているのですが、いくつかの理由があって、六〇年代の注目のされ方とは違う部分がある。ちょっと例を挙げてみましょう。

ひとつは、八〇年代後半から、廣松渉が書いたシュッツに関する文章がある。これは一九三二年の主著を最初から丁寧に読み、それに廣松自身の見解を対峙していくという形で、雑誌『現代思想』に十七回にわたって連載されました。そして、一九九一年に『現象学的社会学の祖型』というタイトルで単行本化され、九四年の彼の没後は、岩波書店から出た著作集のなかに入れられました。

＊やまぐち・まさお（1931-）：文化人類学者、思想家。本文で話題にした論文は一九七五年に刊行された『文化と両義性』（岩波書店）に収められている。

この仕事によって、社会学のなかだけで語られがちだったシュッツが、日本の思想界全体の場面まで引っ張り出されてきた。それは、批判的な扱い方であるにせよ、シュッツに何かあるぞと思わせるきっかけになりました。

――もともと廣松渉は、マルクス研究者というより、現象学研究者みたいなところがありますね。

当人は違うと言うでしょうけれど、広い意味では、廣松渉の仕事は、現象学の流れのなかに含めることができると思います。そして、この『現象学的社会学の祖型』にかぎらず、彼の仕事は社会学に少なからぬ影響を与えましたね。「私のルーツは廣松だ」って言う売れっ子の社会学者もいるぐらいです。

――『社会的世界の意味構成』(シュッツ)に『現実の社会的構成』(バーガーとルックマン)、加えて『世界の共同主観的存在構造』(廣松渉)まで、みんな似たような書名です。大ざっぱに言ってしまえば、「人びとが生きているこの世界、この現実は、実は、その人びとによって作られているのだ」といった意味ですね。

似ていると言えば、もうひとつ、社会学のなかでも力を持ってきた「構築主義」という流れがあります。その出発点のひとつを『現実の社会的構成』のまさに構成の部分、コンストラクションの部分に引き寄せて考えようという流れもあるし、その源がシュッツにあると主張する人もいます。しかし、通常、構築主義を現象学的社会学に含めることはないでしょう。「意味社会学」には入るでしょうが。

また、シュッツの個人史に関する研究も進みました。それが、九〇年代にシュッツが注目された二つ目の理由です。もともと、アメリカに亡命したあとの動向はよく知られていたのですが、一八九九年に生まれたシュッツの幼少時代から一九三九年にアメリカに渡るまでの四十年間、ウィーンやヨーロッパで何をしていたのかという個人史は、ほとんど知られていませんでした。それを、森元孝*さんという日本の研究者が描き出してみせました。ウィーンの少年時代の学業成績や、ウィーン大学の学生時代のこと、そして、そのころから始めていた銀行関連業務とその仕事上で書いたレポートまでも資料として掘り起こして、ウィーン時代のシュッツの姿を提示してくれたんです。『アルフレート・シュッツのウィーン』というぶ厚い本になって出ています。ぼくは森さんとはシュッツへの視点がかなり違いますが、この本は大きな業績だと思っています。

研究者の成長

それから、思想の発展・継承には、こういう要素があると思うのですが、六〇年代、七〇

*もり・もとたか（1955-）：早稲田大学教授。社会学者。『アルフレッド・シュッツ』（東信堂）という著書もある。

年代にシュッツを学んでいた世代が、もう初老期に入っていて、その人たちの教え子が論文を書く時期になっています。つまり、今二十代後半から三十代くらいの人たちが、もう一回、あらためてシュッツに取り組もうという動きを見せています。六〇年代と九〇年代では、その間にさまざまな思想史的な展開もあったわけですから、異なった像が描き出されてくる可能性もあります。これが、九〇年代シュッツ・ブームの三つめの理由です。

生誕百年

そして四つ目の理由が、一九九九年はシュッツ生誕百年だったことです。日本とドイツとアメリカで生誕百年の記念シンポジウムが開かれて、そこで、もう一回シュッツに取り組んだり、シュッツの意味を問い直したりという試みがなされました。日本では早稲田大学の那須壽*さんを中心に動いたのですが、ぼくも早稲田で司会をしたり、ドイツで英語の論文を報告したりしました。ちなみに、その報告のときの司会者はトーマス・ルックマンでした。

――バーガーといっしょに『現実の社会的構成』を書いた人ですね。

そう。ルックマンは一九二七年生まれ。七十歳を超えているのに非常に元気でアクティブな人です。カウボーイのような格好して、大きな図体を揺すって。アメリカンな人だけど、ヨーロッパ出身。一九五〇年代に、アメリカでシュッツの学生でした。

で、ぼくはドイツで、「ミューチュアル・チューニング・イン・リレイションシップ」、相互に波長を合わせる関係というのは、シュッツの思想全体の土台のような発想だったのではないかという発表をしました。

発表の後、ルックマンの反応は少し冷たかったですね。「シュッツはテレパシーを信じてはいなかったよ」と言われましたよ。つまり、言葉を交わさない以心伝心のような関係、あるいは身体的な共振共鳴関係みたいなものにはシュッツは否定的だった、そうルックマンは言いたかったようです。いずれにせよ、ぼくの報告はアメリカ人には不評でしたが、ドイツ人には好評だったようです。おそらく、シュッツを主観主義的に読む人びとには不評で、間主観主義的に読む人びとには好評だったのではないかと思っています。

もっとも、それから三、四年たってルックマンに会ったとき、あなたはぼくに向かってこう言いましたよ、と言ったら、あ、そうだったかねと、そのときのことは、すっかり忘れられていましたけども。

――発表を聞いてからあわててシュッツの本を読み直して、あ、やっぱりシュッツは身体的共鳴を重視していたって、わかったんじゃないですか。忘れたふりをしてごまかしてる（笑）。

そんなことはないでしょうが（笑）。

＊なす・ひさし（1949-）：早稲田大学教授。社会学者。著書に『現象学的社会学への道』（恒星社厚生閣）などがある。

エスノメソドロジー

さて、大ざっぱに現象学的社会学とその周辺の動きを見てきましたが、もうひとつ、エスノメソドロジーのことをここで少し話しておきましょう。

――ガーフィンケル*が作った風変わりな学派ですね。

ガーフィンケルは、もともとはハーバード大学大学院でパーソンズの下で学んでいました。しかし、パーソンズとは合わないと考えて、シュッツと手紙のやり取りをして教えを請うようになります。

そうして、一九五〇年代にエスノメソドロジーが形作られました。エスノとは、ここでは普通の人びとってこと。メソドロジーは方法論。普通の人びとが社会を構成している、その構成の方法論を探究して、社会構成、社会秩序の存立を、普通の人びとの視線と行為の場から見ていこうという試みです。

こうして作られたわけですから、当初はエスノメソドロジーには人間や主体性、主観性への眼差しがあるとされて、注目されてきました。

エスノメソドロジーの諸潮流

――エスノメソドロジーは、関心や手法の違いによって、いくつかの学派に分かれてるようですが。

ええ。大きくまとめておきましょう。

（1）最初は、エスノメソドロジーは、日常生活を営む普通の人びとの主観的な思いや行動を捉えようとしていたと理解されていた。

（2）けれども、サックス**という人との出会いもあって、エスノメソドロジーは七〇年前後からは本格的に会話的相互行為の分析に乗り出していきます。この会話分析こそエスノメソドロジーの本筋だっていう流れができていき、サックスが読まれました。そしてさらに、会話分析の流れも二つに分かれていく。

（3―1）そのひとつが、会話のなかに権力関係を読み取ろうという展開です。末端の相互行為、あるいは身体にまで浸潤する権力作用、それを会話分析で読み解こうとします。とくに、差別や権力の問題、あるいは障害者の問題を論ずるときに、エスノメソドロジー的視点

＊Harold Garfinkel（1917-）：アメリカの社会学者。ＵＣＬＡ教授。Ethnomethodology という語は、一九五〇年代半ばに彼が作った言葉。翻訳された論文が収録されている著作として、『社会学的思考の解体』『エスノメソドロジーの想像力』（以上、せりか書房）、『日常性の解剖学』（マルジュ社）などがある。

＊＊Harvey Sacks（1935-1975）：会話分析の創始者的な存在。翻訳された論文は、『日常性の解剖学』（マルジュ社）にある。

を積極的に活用していこうという流れを生み出した。これはエスノメソドロジーの日本的展開でもあり、日本が大きく発展させたバージョンだと思っています。

(3—2) それからもうひとつ、ヴィトゲンシュタイン派のエスノメソドロジーがあります。会話分析とヴィトゲンシュタイン*の理論とを結びつけ、その意味ではポストモダンの理論とも結びついています。出発点は言語ゲーム。もうそれ以上たどることができない出発点として生活形式を考え、そこでなされる相互行為、とくにそこでの会話的相互行為に焦点化して、会話分析を中心に研究していくエスノメソドロジーです。徹底的に時々刻々なされる「相互行為による社会秩序の達成」の様相を明らかにしていくといった立場です。それは、あくまでも相互行為の地平に準拠し、形而上学的なものや大きな物語を求めないわけで、近代批判という意味合いも含んでいると思っています。

現象学の泥臭さ

——ヴィトゲンシュタインの名が出てきましたが、現象学あるいは現象学的社会学とヴィトゲンシュタインは無関係なのですか。

現象学とヴィトゲンシュタイン、あるいは現象学と分析哲学との一致点を掘り起こそうとする現象学の流れもあります。それはそれで、ひとつの展開としてはとても興味深いけれども、そのことで、現象学がもともと持っていたドロドロした部分、泥臭さみたいなものや、何よりもさまざまな視点からの発生論的問いが扱えるのだろうか、とぼくは思うんです。また、現象学には、さきほどは触れませんでしたが、マックス・シェーラーという後継者もいるんですね。彼は、感情、共感、同情といった問題を論じている。そういう部分もうまく論じることはできないのではないか。身体の問題などは、どう扱うんだろう。そんなふうに考えていくと、分析哲学に引きつけて現象学を見ていくのは問題なのではないか、とすら思います。

晩年近くのシュッツは、「今ひたすらシェーラーを読んでいます」なんて手紙に書いているぐらい、シェーラー読みに没頭していました。そのときシュッツは、シェーラーのいわゆる哲学的人間学に大きな関心を寄せていたわけですが、ぼくはそこに、身体論とそのなかの情動論、そして間主観性の基層を問おうとした一九五〇年代のシュッツのまなざしや立ち位置を見ているわけです。

現象学的社会学が注目されるタイミング

――現象学的社会学が注目された時期として、一九三〇年代、一九六〇年代、そして一九九〇年代がありました。一九三〇年代は第二次世界大戦に向かうナチスドイツ、一九六〇年代はベトナム戦争を遂行するアメリカ、そして一九九〇年代は湾岸戦争をするアメリカ。もしかした

＊Ludwig Wittgenstein（1889-1951）：オーストリア生まれ。ケンブリッジ大学教授。論理実証主義で知られるが、後期は言語ゲーム論を展開。著書は、『論理哲学論考』『哲学探究』（ともに大修館）など。

ら、現象学的社会学ってのは、危機の時代になると力を得ていくのかなという気もします。強大な帝国が登場すると、弱者の視点からの反撃として構想されるのかなあとか。

なるほどね。その見方、とてもおもしろいなあ。

Ⅳ　グローバル化時代の現象学的社会学

これからの現象学的社会学

――現象学的社会学の歴史やバリエーションを学んできました。ここからは、現象学的社会学の今後の展開についてうかがいます。

今ぼくは、現代を新たな段階のグローバル化の時代だと考えています。この時代、インターナショナルな関係、国民国家どうしが結びついて作る関係もまた変化しつつありますね。国家のあり方としても、人びとの生き方としても、実践のレベルでも、既存のあり方の一部が大きく変わりつつある。

社会思想に関わる点で、一つだけ例を挙げておきましょう。「マルチチュード」というネグリ*の概念は、移民や移動者に対する期待をやや過剰に表していると思いますが、それにしても、ドイツやイギリスやフランスをはじめとするＥＵなどでは、そういう国を越える移動の形で人びとの交流、交通が進んでいる。こうなってくると、次に問われてくるのは、国家、あるいはナショナルな枠を前提とした国際関係です。つまりそこで問われてくるのは、国家の枠を越える人と人との生身の関係ではないでしょうか。

もちろん、単純な身体の交流ではない。当然、ひとりひとりが歴史的、社会文化的な主観

＊Antonio Negri（1933-）：イタリアの哲学者、思想家。パドヴァ大学などで教鞭をとった。ラディカルな活動の嫌疑で逮捕され、獄中生活も長く体験している。ハートと共著の『帝国』（以文社）が評判になった。マルチチュードという概念は、『マルチチュード』（ＮＨＫブックス）という著書とともに、これらの著作で中心に論じられた。

性、主体性も持っている。ただ、そうした主体性は、近代的な主体性、単に唯我独尊の主体ではないはず。「サブジェクト」という言葉には、主体と従属という二重の意味があるのですが、まさに、そのように、主体であると同時に従属でもあるようなサブジェクトの意味合いを持った人びとが結びつく、そんなあり方の現在と未来とが模索されなければならない。

現象学的社会学の話をしてくるなかで、間主観性、インターサブジェクティビティの話をしましたが、間主観性論は、そもそもは、他者理解について考えることが出発点でした。ですから、主体と主体の新しい結びつきを考える際も、あるいは「外国人」という「他者」について考える際にも、現象学的社会学の間主観性論は、きわめて有効だとぼくは思っています。

スローガン的に言えば、「インターナショナルからインターサブジェクティブなあり方へ」。そのような方向で考えていくべきではないかと思うわけです。多様なサブジェクトとサブジェクトのあり方を、間主観性論によって、もう一回捉え直したい。インターナショナルじゃなくて、インターサブジェクティブな関係を問い直すと同時に実践をおこなっていきたい。それをぼくは、「国際」(inter-national) 関係から「人際《にんさい》」(inter-subjective) 関係へと表現しています。

——グローバル化時代にふさわしい「人と人との関係」を模索していく……。

ええ。現象学はもともと、ドイツとか日本とかの個別の文化の層やそこでの主観性と間主観性を問題にしたのではなく、その「特定個別文化」の基層にある人間社会の「普遍共通文化」の層やそこでの主観性と間主観性を問題にしてきたのです。間身体性は、まさにその層にかかわる論点だったわけです。

その深みからもう一度問いを立て直して、グローバルな広がりのなかで社会的世界の意味構成を理論的にも実践的にも考えていくことは、現象学的社会学のこれまでの展開をふまえた重要な課題だと考えているわけです。

「新しい古墳時代」とネットワーク

——大きな物語が崩れて小さな物語が乱立する状況を「ポストモダン」と呼んでいたわけですが、別の言い方をすれば、かつては厳然としてそびえ立っていた巨大な知のピラミッドが、今は失われているってことだと思うのです。

巨大な知のピラミッド。いわゆる「普通の人びと」が、その底辺にいる。この人たちは、自分がそこで生きて、考えたりおこなったりしていることを何も自覚しない。無理に語ろうとすると、誤ったことを語ってしまう。それに対して、知識人は、その「普通の人びと」が生きている様を言葉で捉え、知識化する。そうやって、知識を積み重ねることによって、知性ある人は、ピラミッドの底辺から頂点へ向けてどんどん上昇していく。そして、上昇していくに連れて、「オマエらには見えていないものが、高いところにいる今のオレには見えるんだぞ」と思い上がるようになる。上から見下ろして、下に向かって言葉を発する。

「オマエらは何も見えず、何も語れない。オレは真理を語る。オレが何を言っているのかわからないなら、それはオマエが馬鹿なせいだ。オレの言葉を理解したかったら、勉強してオレの高みまで上がってこい。オレはオレの言葉をしゃべりたいようにしゃべり続けるだけだ……」

そう、話の途中だけど、一次概念と二次概念に着目したシュッツや、それからエスノメソドロジーの創設者ガーフィンケルも、同様の点を指摘している。ガーフィンケルは、これまで社会学者は、日常生活者を「判断力喪失者」、原語はdope、つまり愚か者、馬鹿者といった意味合いですが、そうしたものと見てきたと批判しています。

――巨大な知のピラミッドが健在だったときは、知識人はそうやってモノローグを続けていればよかったんですね。自分は真理を知っていると思えたし、みんなも真理を知っている人として尊敬してくれましたから。そういう構図が昔は確かにありましたね。

ところが今は違っている。ひとつの巨大なピラミッドなど存在しない。小さくて、低くて、しかもテッペンの丸い古墳のような形の小山が乱立している。もちろんそれでも「お山の大将」にはなれるわけですが、しかし、彼が、オレはこんなこと知ってるんだって偉そうに語っても、同じ古墳に属していない人には、何の関心も持たれない。そんな言葉、自分には関係ないよ、と言われてしまう。そうして結局、誰の言葉も尊重されることなく、まともに聞かれることなく、みんな、バラバラに、それぞれの小さな世界に閉じこもって生きている。

このような状況にあって必要なことは何でしょう。今までピラミッドの頂点からものを言っていたつもりの人、実際には小さな古墳の上に立っていたに過ぎないのですが、そういう人は、横に向かって語ること、他の古墳に言葉を届かせることが大事なのではありませんか。

必要なのは、下に降りてくることではない。もともと高みに立っているわけではないのだから。下に降りるなんて思うな、横に出ろ、と言いたい。必要なのは、レベルを落として説明してあげようという傲慢な善意ではない。自分の小さなサークルでしか通じない言葉を使ってウチワで納得しあうのではなく、外に通じる言葉をしゃべれるようになること。他の古墳の人に言葉を通じさせるための新しい技術を身につけることでしょう。とにかく、まず言葉が聞かれないことには何を言ってもムダ、何も言わなかったに等しいのですから。

たいへん興味深い指摘ですね。いわば「新しい古墳時代」の始まりですね。八〇年代のハヤリの言葉を使えば、ツリー状ではなくて、リゾーム状ってことになるんだろうけど。小さな古墳と古墳の間をつなぐ必要性があるわけで、その場面がなくなりがちな状況のなかで、どういうふうにすれば、学問的にも実践的にもやっていけるのか。そういうことをぼくも模索しています。

それは、もちろん、高校生にもやさしく語りかけるってことではない。他の古墳と結びつきながら、古墳は古墳としてそれぞれが生きていくような、そういうネットワーク作りをするってことです。

しかも、ここの古墳は日本で、そこの古墳は韓国って区切り方をするのではなく、グローバルな形でやって行きたい。それは、ぼく自身の「脱国家的実践」としてやっていきたいと思っているわけです。

社会理論としては、やはり、知の権力、知のピラミッド状のものを崩して、どう古墳状にしてネットワークを作るか、その方法を考え、実践したいということですね。

グローバル化への対応

——具体的にはどのような実践でしょうか。

さきほど言ったような研究の場面での理論実践を別にすれば、今、三つくらい考えています。

まず、国内のネットワークを作っていく。具体的には、同じような関心、いや一部でも関心を共有できる人たちといっしょに新しい学会を作る。社会学の理論関係の学会を作って、理論的な実践をしていく場になるようにする（二〇〇六年九月、日本社会学理論学会設立）。それは、アメリカ流の実証的手法に傾斜している日本社会学の現状に切り込む、ひとつの道でもあります。

もうひとつは、雑誌刊行、研究会開催などの活動を通じて、現代社会学理論の研究を充実させていきたい。いや、研究するだけではなく、シンポジウムやフォーラムのようなかたちで、広くつながりを作っていく。これは、国内だけでなく、グローバルな広がりを持たせるつもりです。グローバルなネットワークのなかで考えていく。

その際、痛感するのが、アジアのなかのつながりがあまりにも少ないということです。とくに、社会学の理論研究においてはアジアのなかのつながりは極めて貧弱です。ここ数年、アジアを頻繁に歩いて各地の社会学者と対話して、そうしたつながりの必要性を実感しています。もちろん、地域研究で現地に入り込んでいる社会学者が現地の社会学者と取り結んでいる関係はありました。しかし社会学理論研究者において、同じく欧米の社会学理論に学びながらも、横のつながりはきわめて希薄なんですね。もちろん、アジア主義というのではない。隣人であるアジアの人びととの対話がないというのはきわめて不自然ですよね。

オフィシャルでなくてもいい、それこそインターサブジェクティブな、ぼくの言葉で言えば、「国際」ではなく「人際《にんさい》」的なネットワークを作っていきたい。「東アジア社会学理論研究者ネットワーク」みたいなね。今、そのために、毎月のようにアジア各地で議論しながら交流し、その地の研究者の研究成果である論文も持ち帰って、『コロキウム：現代社会学理論・新地平』（二〇〇六年六月創刊、新泉社発売）という雑誌に掲載しています。これをアジアから世界へ広げていきたい。

最後に、そういうなかばオフィシャルな活動とは別に、「特定非営利活動法人　東京社会学インスティチュート」、Institute for Sociology in Tokyo、略称ｉｓｔ（イスト）という活動拠点を作っています。フォーラム機能、シンクタンク機能を含めて、学校社会だけでなくて、研究と出版を媒介にして、ＮＧＯ／ＮＰＯや一部の企業などとの繋がりも作りながら、関係をリゾーム状に広げていく活動ができたらいいなと思っているんです。これが、今おこなっている具体的な社会実践です。

――人際的（インターサブジェクティブ）な結びつきを作っていくための拠点として、つまり、顔と顔をつき合わせる交流の場、文字どおりの「インターフェイス」として、ｉｓｔがあるのですね。

あとがきにかえて

――以上で現象学的社会学についての質問はおしまいです。言い足りないこともたくさんあると思います。正直に言えば、私もグローバル化の捉え方やそれへの対応についてのお話には、もっともっとツッコミを入れたかったです（笑）。

そう言うだろうと思ってました（笑）。ここで反論して議論を続けたい気もしますが、残念ながら、時間が迫ってきてしまいましたね。次の企画が可能ならば、今度はグローバル化と国家の問題に絞って対論＝対談形式で議論しましょう。

最後に、ぼくとしては次のことはぜひとも言っておきたい。過去や現在のあり方に対する冷徹な分析は言うまでもなく必要不可欠ですが、同時に、その現状をどうするかに関する議論も社会学には必要です。「社会構想の社会学」も確かに存在しますが、単なる理念ではなく、具体的な関係構築のレベルから問いを立てて実践していく試みはこれまで少ないと思われます。

ぼくの言っていることは、楽観的な夢物語でしょうか。いや、ぼく自身は、「夢」ではなく、むしろ「希望」を語っているつもりです。それは決して実現不可能な夢ではなく、少しずつだけれど実現可能な「希望」なのです。この点だけは強調させてください。

――わかりました。ところで、言葉の端々に「団塊の世代」特有の匂いを感じるのですが……。

人を世代で単純に括らないでくださいな（笑）。だいいち、厳密な社会学的定義に従えば、ぼくは団塊の世代ではありません。一九四七―四九年生まれではありませんし、学生運動のピークの一九六八年はまだ高校生だったのですから（笑）。とはいえ、時代と世代の問題も重要ですね。この問題も一度、徹底的に議論しましょう。

――私たちの世代（一九六〇年前後の生まれ）は、団塊の世代に対してアンビバレントな思いを持っているんですよ。批判の対象なのだけれど、同時に、彼らの生きた六〇年代に「一時は憧れてしまった」という悔しさもある。すべての世代に言えることかと思いますが、先行する世代への「反応」として自己形成してきたような面もあります。ですから、「団塊の世代のコが嫌い！」といった一方的な悪口話ではなく、彼らが後に残した状況や考え方、その功罪を一度きちんと論じておきたいのです。

それは同感です。でもあまり後ろ向きの議論はしたくないな。グローバル化時代の現在においていて、グローバルな視野のなかで団塊世代を含めた世代と時代の問題を、「希望」をもてる形で議論したいですね。

――はい。今回は、いろいろ教えていただいて、ありがとうございました。

著者紹介

西原和久（にしはら・かずひさ）
1950年、東京生まれ。
名古屋大学大学院教授（環境学研究科および文学部・社会学講座）
著書は、『自己と社会』（新泉社）、『意味の社会学』（弘文堂）、『社会学的思考を読む』（人間の科学社）、『現象学的社会学の展開』（青土社）ほか多数。
訳書に、『シュッツ著作集』全4巻（共訳、マルジュ社）、『間主観性と公共性』（N. クロスリー著、新泉社）などがある。
NPO法人 東京社会学インスティチュート（略称：ist）代表。「コロキウム企画編集室」代表。

岡　　敦（おか・あつし）
1959年、東京生まれ。
ライター、エディター
NPO法人 東京社会学インスティチュート 理事

ist books
聞きまくり社会学——「現象学的社会学」って何？

2006年11月15日　第1刷発行

著者＝西原和久、岡　　敦
発行所＝株式会社 新 泉 社
東京都文京区本郷 2-5-12
振替・00170-4-160936番　電話 03-3815-1662　FAX 03-3815-1422
印刷・萩原印刷　製本・榎本製本

ISBN4-7877-0617-9